CW00740073

Historia de La Habana

Una Guía Fascinante de la Historia de la Capital de Cuba, Comenzando por la Llegada de Cristóbal Colón hasta Fidel Castro

Nadie podría haber imaginado un lugar como La Habana, Cuba. Es absurdamente contradictoria, siempre discutiendo consigo misma sobre si es audaz o sumisa, heroica o estúpida, bella o aborrecible.

~ Ed Kirwan

Índice de Contenidos

Introducción

La Habana. De inmediato, mencionar este nombre trae a la mente a Fidel Castro y la Guerra Fría, una cosa de tensión y tiranía. Esta ciudad misteriosa permanece como un libro cerrado para muchos estadounidenses, un lugar donde los extranjeros no son bienvenidos, y la ley comunista no tiene sentido para el cercano mundo capitalista. Cuba fue la isla que casi trajo la ruina a los Estados Unidos durante la Guerra Fría; su sistema comunista parece un universo completamente diferente al de la Tierra de los Libres, sin embargo, se encuentra a solo noventa millas de Florida.

Sin embargo, hay mucho más en esta ciudad de lo que parece a simple vista. La Habana no fue siempre la capital deteriorada de un país con dificultades. Su historia es una de larga aventura, comenzando en los días de Cristóbal Colón, y continuando a través de guerras, revoluciones, protestas y fiestas.

La historia de La Habana tiene todos los elementos de una gran epopeya. Tiene héroes trágicos y villanos astutos, batallas dramáticas y cultura fina, explosiones, ejecuciones, asesinatos horribles, discursos entusiastas y valientes demostraciones de determinación. La historia de la capital de Cuba se trata de mucho más que una mera ciudad. Se trata de la asombrosa resiliencia del pueblo cubano, un pueblo que ha pasado por tantas cosas y, sin embargo, continúa recuperándose, un pueblo conocido por la irresistible combinación de fuerza y emoción arraigadas siempre listas para saltar a la superficie.

Así es La Habana: apasionada, pero obstinadamente aferrándose a la vida contra todo pronóstico. A través de piratas y huracanes, a través de guerras y revoluciones, sobreviviendo la brutalidad de muchos dictadores salvajes que buscaban aplastar su espíritu implacable, La Habana y su gente siguen viviendo. La ciudad ha sido saqueada, demolida, ultrajada por la corrupción, y reducida a cenizas; sin embargo, se mantiene como una atracción turística y un importante puerto en la actualidad.

La historia de La Habana está llena de aventuras e intrigas. Recorra las páginas de este libro para experimentar de primera mano los eventos que han dado forma a esta maltrecha joya del Caribe.

Capítulo 1 – La Fundación de La Habana

Era el 28 de octubre de 1492. Cristóbal Colón y sus hombres han estado navegando por casi tres meses. Por semanas, no han tenido tierra a la vista, hasta que por fin hacía algunas semanas, el doce de octubre, un joven marinero llamado Rodrigo de Triana avisó acerca del avistamiento de tierra en el horizonte. Desde entonces, los marineros españoles habían estado llenos de entusiasmo por explorar islas aún más hermosas pobladas de amigables nativos y vibrante vida silvestre. Y esta, consideraba Colón, prometía ser lo mismo.

Permaneció en la cubierta de la *Santa María,* sus experimentadas piernas marinas se ajustaban sin esfuerzo al suave balanceo del barco mientras se desplazaba a través de los mares tranquilos hacia el siguiente pedazo de tierra nueva. Entrecerrando los ojos para protegerse del sol, Colón ya podía ver que, como las otras, era tropical. Sus playas suaves se curvaban hacia el horizonte, de un blanco perla bajo el sol contra el azul inexpresable del mar. Las conmovedoras extensiones de esas playas estaban coronadas por verdes palmeras que bailaban suavemente con la briza del mar. En sus palabras, era el lugar más hermoso que había visto. Sonrió, emocionado por su nuevo descubrimiento, y sabiendo que estaba más cerca de su meta: India.

El fracaso de Cristóbal Colón en encontrar una segunda ruta hacia Asia se convirtió en uno de los más grandes descubrimientos europeos de todos los tiempos. Cuando zarpó de España en agosto de 1492, su meta era encontrar una ruta más segura con el fin de mejorar el comercio con India, navegando hacia el oeste desde el puerto de Palos de la Frontera. En vez de encontrar India, en su primer viaje, Colón se topó con el archipiélago que actualmente se conoce como las Bahamas. En viajes posteriores, descubriría América del Sur.

Pero la isla en cuya costa noreste desembarcó a fines de octubre de 1492, se conocería posteriormente como Cuba.

Colón y sus hombres pasaron algunos meses explorando la costa e interactuando con los nativos, los taínos. Estas personas altas y majestuosas parecían ser tan gentiles como hermosas. Habían estado habitando la isla por siglos, y la dividieron en veintinueve secciones, cada una gobernada por un cacique. Colón los describió como una raza gentil y amante de la paz; recibieron a los españoles con los brazos abiertos, intercambian su conocimiento de la tierra, y su acceso a alimento y agua, por cuentas de vidrio y otros pequeños tesoros. Al principio, Colón los elogiaba en sus bitácoras y parecían desarrollar una relación feliz con los españoles, pero esto no duraría mucho. Pronto, los españoles comenzaron a exigirles tributo en forma de cultivos o carne. Si los nativos no podían cumplir con las demandas, los españoles a menudo los inmovilizaban y les cortaban las manos, dejándolos desangrándose dolorosamente hasta morir.

Colón dejaría un pequeño asentamiento de soldados en el Nuevo Mundo antes de volver a España más tarde en 1492, pero no pasó mucho tiempo antes de que regresara. En 1493, zarpó una vez más, esta vez acompañado, entre otros, por un joven conquistador llamado Diego Velázquez de Cuéllar. Nacido en Segovia, España en 1465, los orígenes pobres de Velázquez le habían dado dos opciones para su futuro: o bien hacía algún trabajo manual, o se convertía en un conquistador. Prefiriendo la sangre al sudor, Velázquez optó por la guerra.

Mientras tanto, en 1509, Sebastián de Ocampo navegaba contra la dura corriente del golfo alrededor de la tierra que Cristóbal Colón había descubierto en 1492. Él confirmó las sospechas de que, después de todo, no se trataba de una península asiática, sino que era una isla. La isla fue apodada "Cuba"; no está claro si este fue un derivado de una palabra taína, pero si lo fue, provino de palabras que significaban "gran lugar" o "donde abunda la tierra fértil".

La isla había estado a la altura de su nombre para sus nativos, hasta que llegaron los conquistadores y empezaron a expulsarlos. Estos soldados españoles y portugueses hacían más que solo luchar; exploraban. Fueron responsables por conquistar y colonizar gran parte de África, Asia y América.

La primera experiencia de Velázquez en el Nuevo Mundo ocurrió durante el segundo viaje de Colón, y le gustó lo suficiente como para hacer de la colonización el trabajo de su vida. Bajo el hijo de Cristóbal Colón, Diego Colón, Velázquez fue designado para liderar la conquista de Cuba en 1511. Acompañado por el infame Hernán Cortés, Velázquez trabajó por toda la isla, expulsando a aquellos amistosos nativos y estableciendo asentamientos españoles. En 1515, alcanzó la costa sur y fundó un nuevo asentamiento en la desembocadura del río Mayabeque. A este asentamiento lo apodó como San Cristóbal de La Habana. El nombre aludía tanto a Cristóbal Colón como a San Cristóbal, el patrón de los viajeros. En cuanto a "Habana", sus orígenes son desconocidos; podría atribuirse a un cacique nativo del área conocido como Habaguanex.

Sin embargo, el asentamiento estaba condenado incluso antes de comenzar por completo. El área estaba plagada por condiciones pantanosas y enjambres de mosquitos, lo que hacía que vivir allí fuera tan miserable que los colonos no tuvieron más remedio que abandonarla. Sin embargo, Velázquez no estaba dispuesto a renunciar a su Habana. En lugar de abandonar totalmente la idea, simplemente trasladó el asentamiento hacia la costa norte. Se usó al menos una ubicación más antes de finalmente establecerse en su ubicación actual en 1519: la hermosa bahía que Sebastián de Ocampo había visto diez años antes durante su circunnavegación de la isla.

Sin embargo, la bahía no fue escogida por su belleza, sino por su ubicación estratégica. Su estrecha desembocadura hacía que la bahía fuera defendible; más al interior, era profunda y calmada, permitiendo que incluso los barcos más grandes pudieran navegar hacia el puerto. La corriente del golfo también pasaba justo por la bahía; esta corriente era importante para los barcos que navegaban desde América a Europa, y permitía acceso directo a la bahía. Aquí fue donde el pequeño asentamiento comenzaría a florecer en lo que hoy conocemos como La Habana.

Una vez que culminó su conquista de Cuba en 1514, Velázquez se convirtió en el primer gobernador de Cuba. La isla era parte del imperio español, y lo sería durante casi cuatrocientos años. En cuanto a Velázquez, continuaría impulsando la colonización de la isla durante los siguientes siete años. En 1521, se descubrió que había estado utilizando indebidamente a los nativos para trabajar, y fue destituido de su cargo de gobernador, lo que era irónico considerando que se había lamentado de la debilidad de los mismos nativos que abusaba, y considerando la crueldad con la que el imperio español trataba a esos mismos nativos. Estaba tan disgustado con la calidad de esos nativos, quienes habían sido elogiados por su fuerza y belleza solo unos años antes, que de hecho autorizó la importación de esclavos negros en 1513.

Sin embargo, Velázquez volvería a ocupar el cargo en 1523. Era simplemente demasiado útil para Cuba; bajo su gobierno, a pesar de sus crueles métodos, el país fue conquistado, se establecieron pueblos exitosos, y el comercio comenzó a prosperar. Al momento de su súbita muerte a los 59 años, Velázquez era conocido como uno de los españoles más ricos en el Nuevo Mundo.

La Habana se convertiría en el puerto más activo de Cuba en las siguientes tres décadas. Si bien la isla en sí era comparativamente pobre en oro y piedras preciosas, con la mayoría de los aventureros españoles siendo atraídos a México y otras partes de Sudamérica por las historias de El Dorado y las Siete Ciudades de Oro, era una base invaluable para la exploración y la conquista que los españoles estaban lanzando por todo el Nuevo Mundo. A medida que aumentaba la población de América, el comercio entre Europa y el Nuevo Mundo empezaba a crecer, y La Habana era el centro obvio para las operaciones allí. El futuro se veía brillante.

Capítulo 2 – Yuca, Canales y los Corsarios Franceses

Si bien La Habana y sus alrededores no eran excepcionalmente ricos en oro, los españoles igualmente se esforzaban por extraer parte del precioso mineral de los arroyos alrededor del asentamiento. En marcado contraste con la amabilidad con la que habían saludado a los taínos solo unas décadas antes, hicieron esto obligando a los nativos a buscar oro.

Sin embargo, para 1547, el poco oro que había allí se había agotado. En cambio, los ciudadanos de La Habana se volcaron a industrias más exitosas para mantenerse. La yuca era una de ellas. El trigo al que los españoles estaban acostumbrados se negaba obstinadamente a crecer en el clima tropical cubano; en cambio, recurrieron a un cultivo que los nativos plantaban en abundancia: la yuca. Este tubérculo similar a la papa puede molerse en harina de yuca, y luego convertirse en pan de yuca. Si bien es nutritiva y un alimento básico si es bien preparada, puede provocar intoxicación por cianuro si se almacena o cocina incorrectamente. Esto podría haber llevado a la sospecha inicial de los españoles sobre la raíz. Ellos afirmaban que no era nutritiva y que podía dañar sus constituciones europeas; además, la falta de harina causó un enorme problema a los exploradores mayoritariamente católicos. La Sagrada Comunión es fundamental para la fe cristiana, específicamente para la denominación católica, y los sacerdotes de la época afirmaban que la Comunión solo podía hacerse con pan de trigo tradicional.

Sin embargo, los españoles debieron enfrentar una difícil elección: superar su aprensión o morirse de hambre. Finalmente, se vieron forzados a probar el pan de yuca, y rápidamente se convirtió en la primera real industria establecida en Cuba, incluso antes del tabaco. La yuca fue consumida primero en La Habana, y más adelante comenzó a exportarse.

Pronto, la economía de La Habana se centraría en su puerto. Los barcos navegando a Europa desde América o viceversa, llegaban maltrechos y agotados a este refugio seguro, donde un interminable suministro de madera se encontraba disponible para hacer disponibles. Los barcos también aprovechaban la oportunidad para abastecerse de pan de yuca, maíz, madera de cuero y carne seca, ya que todos estos elementos abundaban en La Habana. Pero había un recurso absolutamente vital que tanto los ciudadanos de La Habana como los barcos necesitaban desesperadamente y en grandes volúmenes: agua dulce.

A diferencia de muchos de los otros establecimientos españoles, La Habana dependía del agua de lluvia. Esta agua se recolectaba en un sistema de cisternas, y para el año 1550, el sistema fallaba lo suficiente como para que las autoridades supieran que debía encontrarse otra solución. La fuente más cercana de agua dulce demostró ser el río Almendares, el cual estaba separado de La Habana por cinco millas de jungla. Era necesario cavar un canal para alimentar al puerto y a los barcos que atracaban allí, y así satisfacer la demanda que crecía desproporcionadamente. La mano de obra era abundante, pero el dinero no, y se estimó que el canal costaría ocho mil ducados. La corona española intentó cubrir estos costos estableciendo una tasa de anclaje para los barcos que llegaban al puerto, pero la tasa resultó ser tan grande que muchos barcos comenzaron a evitar por completo llegar a La Habana, lo que fue un duro golpe para la creciente economía. Para el año 1562, La Habana estaba teniendo tantas dificultades que la corona abolió su tasa de anclaje, y en cambio, comenzó a gravar los barcos sobre sus ingresos y sobre artículos de lujo como carne, vino tinto y jabón.

Bajo este nuevo sistema, La Habana se recuperó, y en 1592 el canal fue construido. Para el año 1600, todos los costos estaban cubiertos, y la crisis del agua había finalizado.

Una falta de agua dulce no fue el único desastre que La Habana enfrentaría en sus primeros años.

A pesar de todo su valioso comercio y el constante flujo de barcos cargados de oro, tesoros, vino y otros artículos de Europa y América, La Habana estaba mal defendida. No se habían establecido fuertes allí, y si bien había cierta presencia militar en forma de barcos militares españoles que echaban anclas allí de vez en cuando, el puerto estaba muy expuesto a los ataques. Y un ataque llegaría, pero no en forma de guerra.

Por más de trescientos años, los mares del Caribe estaban plagados de piratas. Trabajando desde puertos piratas en Jamaica, Haití y las Bahamas, estos despiadados terrores de alta mar vieron una oportunidad imperdible en los muy cargados barcos comerciales que llevaban todo desde plata hasta yuca desde América a Europa. Navegando en barcos pequeños, maniobrables y rápidos, como balandras y goletas (de los cuales ambos eran a menudo robados), los piratas descendían sobre los lentos barcos comerciales en hordas aullantes, asesinando, saqueando y robando mientras avanzaban.

La Habana tuvo su primera experiencia con la piratería en 1537 cuando un grupo de piratas atacó y ocupó la ciudad pidiendo un rescate de setecientos ducados. Este monto se pagó y los piratas abandonaron con mínimos daños, pero el ataque fue una advertencia que la corona española habría hecho bien en prestar atención. Sin embargo, no se tomó ninguna medida para fortificar la ciudad.

Al final, la gran amenaza de La Habana vendría de un pirata contratado por los enemigos de España. Muchos piratas eran espíritus libres que no respondían a nadie excepto a su capitán, y no eran leales a nadie excepto a su tripulación. Sin embargo, otros eran contratados por países europeos celosos del monopolio que España tenía sobre el comercio con América. Ninguno de ellos era más temido que los corsarios franceses.

Estos corsarios eran autorizados por la corona francesa para atacar barcos pertenecientes a enemigos de Francia. Los barcos comerciales españoles que llevaban oro y plata desde Perú, luego a La Habana, y finalmente a España, eran objetivos perfectos. A diferencia de los piratas ordinarios, los corsarios franceses no eran castigados con la horca, al menos no en Francia; en cambio, tenían derecho a quedarse con una parte del botín que traían a Francia. Estos corsarios desarrollaron una reputación de valentía audaz y enorme habilidad en la batalla. Nadie fue más infame que François le Clerc, también conocido como Jambe de Bois; lo que en francés significa pierna de palo. Le Clerc fue el pirata que dio origen a la leyenda del pirata con pata de palo, y se ganó su estatus. Pasó gran parte de su carrera capturando barco tras barco español para los franceses; pero cuando los invasores ingleses atacaron el territorio francés de Le Havre, él se unió a ellos, saqueando felizmente los barcos franceses a los que siempre había servido. Incluso este corsario no servía a nada más que a sus propios intereses.

Probablemente Le Clerc nunca visitó La Habana, pero uno de sus subordinados, Jacques de Sores, fue una historia diferente. Este corsario se hizo conocido por el siniestro apodo de L'Ange Exterminateur, o El Ángel Exterminador. En 1555, los ciudadanos de La Habana descubrirían por qué se había ganado ese apodo. El Ángel Exterminador tomó La Habana de noche y por sorpresa. Hasta el día de hoy, nadie sabe realmente cuántos barcos llegaron; el número estimado oscila entre dos y veinte. De cualquier manera, llegaron escabulléndose por la tranquila bahía en la profundidad de la noche, cargados de corsarios franceses, todos ellos armados hasta los dientes. La flota había fijado su mirada en un importante objetivo: los barcos del tesoro de México anclados en la bahía de La Habana. Pero los piratas no hicieron nada a medias. Si de Sores podía mantener a la ciudad como rehén, lo haría. Sus barcos estaban llenos de hombres y cañones; estaba confiado en que podía tomar la ciudad con facilidad. La noticia de los barcos anclados allí ya se había extendido por toda América, y había escuchado historias de cargamentos de invaluables tesoros, incluyendo oro, plata y piedras preciosas, así como artículos exóticos para comerciar, como tabaco, cacao y yuca. Saquear esta ciudad podía hacerlo increíblemente rico, y estaba ansioso por tener esa riqueza entre sus manos. No anticipaba que La Habana resistiría demasiado.

De Sores no estaba equivocado. Cuando sus barcos llegaron a la costa y sus hombres entraron en la ciudad, con sus sables desenfundados y antorchas encendidas, se precipitaron sobre las pocas defensas que había como un maremoto que se quitaba algas de su camino. Ardiendo de emoción, los piratas invadieron la ciudad y tomaron los barcos en la bahía sin esfuerzo. Pero sus búsquedas despiadadas en las bodegas de los barcos y las tiendas de la ciudad resultaron ser decepcionantes. De Sores había logrado atacar La Habana en un momento en que no había grandes riquezas en la ciudad.

Furioso, de Sores ordenó incendiar los barcos que se encontraban en la bahía. Cuando amaneció, solo quedaban salpicaduras de llamas en el agua, y el fuego se reflejaba en la suave superficie de la bahía. También gran parte de La Habana estaba en llamas. En un último esfuerzo por sacar algún provecho de este asalto, de Sores exigió rescate por varias figuras de autoridad. Incluso exigió rescates a los dueños de viviendas, amenazándolos con quemar sus casas si no accedían a su demanda. Pero ni siquiera este esfuerzo sirvió. El rescate nunca fue pagado. Con las manos vacías y amargamente decepcionado, de Sores se llevó su decepción hacia la ciudad.

Sus hombres incendiaron casi toda La Habana, comenzando por destruir completamente el único fuerte de la ciudad, La Fuerza Vieja. Ni siquiera el campo en los alrededores de La Habana estaba seguro; arrasaron las granjas, las aldeas y la jungla, destruyendo todo a la vista. Los esclavos fueron ahorcados, y si bien los detalles sobre las muertes son confusos, posiblemente muchos otros civiles también fueron asesinados. Para colmo de males, en las semanas que pasó aniquilando la ciudad, de Sores incluso organizó una obra de teatro que insultaba a la figura más respetada de la cristiandad en aquella época: el papa. Finalmente abandonó La Habana con casi nada más que la satisfacción de haber destruido casi completamente la ciudad que no le proporcionó ninguna riqueza.

El saqueo de La Habana de 1555 finalmente llevó a la corona española a actuar y a fortificar la ciudad. Esto no solo se hizo para protegerla de los piratas, sino también para controlar el mercado negro que crecía rápidamente allí, y que comenzaba a amenazar el monopolio español sobre el comercio con el Nuevo Mundo. Sin La Habana, era difícil llevar a cabo el comercio con el Nuevo Mundo; se acordó que la ciudad era esencial para la prosperidad continua de España y el desarrollo de América, y, por lo tanto, la corona financió la construcción de varias fortalezas.

La primera fortaleza comenzó a construirse en 1558. Conocida como el Castillo de la Real Fuerza, necesitó casi veinte años para completarse, terminándose en 1577. El fuerte aún puede ser visto actualmente en La Habana. Este parece haber disuadido la mayoría de los ataques, pero en 1589, otro famoso pirata se acercó demasiado para comodidad de la ciudad. El corsario británico, Sir Francis Drake, navegó a la vista de la bahía de La Habana, pero decidió no atacarla directamente debido a sus nuevas defensas. Aparentemente, el avistamiento fue suficiente para asustar al rey Felipe de España. Ese mismo año, comenzó a fortificar La Habana aún más. Por primera vez, la geografía de la bahía fue usada finalmente para lo que había sido escogida en primer lugar: su naturaleza defendible. En la estrecha entrada a la bahía, el rey Felipe ordenó la construcción de dos fuertes, uno en cada lado. Estos fueron llamados El Castillo de San Salvador de la Punta, comúnmente conocido como La Punta, y El Castillo de los Tres Reyes del Morro, comúnmente conocido como el Morro. Estos serían completados en 1600 y 1610 respectivamente, y se necesitaron impuestos a los envíos y a las ventas para financiarlos, así como un subsidio de México. Estos dos fuertes siguen siendo atracciones turísticas en la actualidad.

Finalmente, se agregaron dos torres defensivas, La Chorrera y San Lázaro.

Se tomaron más medidas en 1561, cuando un decreto real creó lo que se conocería como la Flota del Tesoro Española. Si bien la bahía de La Habana era mucho más defendible, tan pronto como los barcos cargados de tesoros salían de allí hacia alta mar, eran presas fáciles para los enjambres de piratas que aún estaban en toda el área. La solución de la corona española fue ordenar a todos los barcos comerciales que navegaban desde el Nuevo Mundo de regreso a Europa que se reunieran en La Habana, y se mantuvieran allí anclados desde mayo a agosto. La flota saldría junta de La Habana en septiembre, flanqueada por buques de guerra de la reconocida armada española.

La decisión de hacer que la Flota del Tesoro Española se reuniera en La Habana cada año reforzó aún más la prosperidad de la ciudad. En 1592 fue oficialmente declarada una ciudad del imperio español, y se volvió conocida como la Llave al Nuevo Mundo. En ese momento se comerciaban aún más bienes en ese lugar, incluyendo lana de alpaca, caoba, especias, tintes y esmeraldas de áreas tan variadas como Guatemala, la Guajira, Campeche, y por supuesto, la propia Cuba.

En cuanto a Jacques de Sores, pasaría el resto de su vida causando destrucción y dolor dondequiera que fuera. Por mucho que los franceses lo hubieran valorado como corsario, siguió creciendo su reputación de ser despiadado y cruel. Para 1570, se había vuelto lo suficientemente malvado como para masacrar sin piedad a cuarenta inocentes misioneros en las Islas Canarias, arrojando sus cuerpos al mal. La tragedia fue tan insensata y desgarradora que casi quinientos años después, en el año 2000, se bajaron al fondo marino cuarenta cruces de piedra para conmemorar sus muertes.

Pero La Habana resurgiría de las cenizas. Una época de prosperidad estaba a la vuelta de la esquina, pero tendría un terrible precio: la libertad de un pueblo de un continente al otro lado del océano Atlántico.

Capítulo 3 – El Asedio de La Habana

La flota británica entra a la bahía de La Habana

Bajo su nuevo título como una ciudad oficial del imperio español, La Habana entró al siglo 17 en paz y prosperidad. A pesar de ser saqueada por Jacques de Sores, la ciudad continuó creciendo a un ritmo exponencial. Sus nuevas defensas permitían a sus ciudadanos tener tranquilidad, y la Flota del Tesoro Española impulsó considerablemente su economía. Por toda la ciudad comenzaron a surgir conventos, capillas, casas, negocios, monumentos cívicos y hospitales. Estos fueron construidos principalmente con madera, dado que era muy abundante en la isla, y fueron construidos en una mezcolanza única de estilos ibéricos y canarios.

La primera señal de problemas durante todo el siglo 17 ocurrió en 1649 cuando una epidemia arrasó La Habana. Los detalles sobre qué enfermedad exactamente afectó a un tercio de la población de la ciudad son escasos, pero todas las fuentes parecen estar de acuerdo que provino de Cartagena, otro importante puerto en la costa de Colombia.

Aun así, la epidemia no mantuvo a La Habana baja por mucho tiempo. Para la década de 1750, era la tercera ciudad más grande en América, superando a Boston y Nueva York. Solo Lima y la Ciudad de México eran más grandes. Pero el siglo de paz de La Habana estaba llegando a su fin. Había problemas gestándose en Europa. La guerra de los Siete Años más tarde se conocería informalmente como Guerra Mundial Cero. Y aunque causó problemas en Europa y Asia, su primer golpe lo dio en 1754 en América del Norte.

La convulsión había estado plagando la relación entre los franceses y los británicos por algún tiempo. Una importante disputa entre las naciones tenía que ver con algunos de los asentamientos y áreas en América del Norte. El territorio del Ohio era una de esas áreas; si bien los franceses lo ocuparon y fortificaron en gran medida, los británicos continuaron comerciando con los nativos americanos en el área, y las tensiones escalaron. El conflicto llegó a un punto crítico el 28 de mayo de 1754, en lo que actualmente es el Condado de Fayette, Pensilvania. Las fuerzas francesas, lideradas por Joseph Coulon de Villiers de Jumonville, fueron atacadas por un grupo de soldados británicos. Estos eran liderados por nada menos que George Washington, el hombre que más tarde sería conocido como el "padre de su patria", y el primer presidente de los Estados Unidos.

Sin embargo, en ese momento, Washington era un humilde teniente coronel. Evidentemente era más que un rival para las fuerzas de Jumonville. La batalla duró quince minutos; Jumonville fue asesinado y los franceses fueron completamente derrotados. Menos de cien hombres estuvieron involucrados, pero a pesar de lo pequeña que fue la chispa, la creciente tensión en todo el mundo fue suficiente combustible para encender una furiosa tormenta de conflicto.

En 1756, todas las más prominentes potencias europeas se vieron envueltas en una guerra abierta. El conflicto se extendió desde Francia hasta Rusia, la India y el Nuevo Mundo, e involucró a casi todas las naciones europeas.

Lejos de la época en que los corsarios franceses saqueaban los barcos españoles, España se alió con Francia en el Pacto de Familia de 1733. El imperio español brindó su apoyo a la causa francesa, y en 1762, La Habana también sería arrastrada al conflicto.

Para el momento en que estalló la guerra de los Siete Años, La Habana estaba muy lejos de ser la presa fácil que había sido para los piratas en el siglo 16. Una cadena de barreras se extendía desde El Morro a La Punta, y también cada fortaleza estaba equipada con 64 cañones y podía albergar a 700 hombres. Anticipándose a un ataque a una de sus ciudades portuarias más importantes, el rey Carlos III de España envió considerables refuerzos para asistir al Regimiento de Infantería de La Habana ubicado allí. La propia ciudad estaba resguardada por una muralla, terminada en 1740, que recorría su perímetro de tres millas. En esta ocasión, los españoles estaban confiados en que no sería fácil tomar La Habana.

El 6 de junio de 1762 estas nuevas defensas fueron puestas a prueba.

Luis Vicente de Velasco había sido un marinero durante gran parte de su vida. Nacido en 1711, era solo un adolescente cuando fue llevado a alta mar, luchando contra fuertes vientos y bárbaros piratas. Había luchado en la conquista de Orán, derrotando fragatas tan grandes que navegó de vuelta a casa con más prisioneros que tripulantes, y ganó batallas con ridículas posibilidades en su contra.

Pero mientras Velasco permanecía en la torre de El Morro, y observaba cómo la oscura línea de barcos en el horizonte se acercaba, sabía que nunca había enfrentado un desafío igual a este. Doce barcos británicos atravesaron las olas hacia la bahía de La Habana, apresurándose a cerrar la entrada a la bahía para atrapar dentro a la flota española. De inmediato, con un gran traqueteo y ruido metálico, se levantó la masiva cadena de barreras, sus enormes enlaces se extendían desde La Punta hasta El Morro en una barrera que podía detener buques de guerra, pero no balas de cañón. Sorprendidos por el tamaño de la flota británica, los comandantes españoles Juan de Prado y Gutierre de Hevia eligieron a tres de sus buques de guerra menos capaces y los hundieron detrás de la cadena para crear una barrera aún mayor. Los soldados atrapados de los cuatro barcos restantes de la línea fueron desembarcados y enviados a La Punta y El Morro para defender la bahía, así como sus armas, perdigones y pólvora. Se ordenó a las tropas regulares defender a la ciudad, y Hevia y Prado decidieron adoptar una táctica defensiva dilatoria. En otras palabras, en lugar de atacar a sus oponentes, simplemente se atrincheraron y esperaron que llegara ayuda de otro lugar, ya sea una flota de socorro de otra colonia española o simplemente una epidemia de fiebre amarilla.

Esta estrategia haría más tarde que tanto Hevia como Prado fueran sometidos a una corte marcial. Ambos comandantes eventualmente vivirían en completa desgracia, pero un héroe aún surgiría entre las filas españolas. Desgarradoramente, sería uno trágico.

Quizás el único buen movimiento que hicieron los comandantes españoles fue reconocer la obvia importancia de El Morro en la batalla que se avecinaba. De inmediato, el oficial naval Luis Vicente de Velasco e Isla fue enviado a liderar a setecientos hombres y cuarenta y seis cañones del fuerte. Observando el avance británico hacia el oeste en dirección a La Habana, Velasco se preparó para un asedio. El 11 de junio, la decisión de Velasco resultaría ser acertada; las fuerzas británicas habían aplastado con facilidad la pequeña resistencia que encontraron y llegaron a las inmediaciones de El Morro. Velasco se atrincheró, sabiendo que los alrededores rocosos de la fortaleza y la gigantesca fosa que la protegía en ese lado arruinaría el método habitual de guerra de asedio de los británicos, aquel de cavar trincheras, y quizás habría aguantado por más tiempo de no ser por la negligencia de Prado.

Desde el cerro La Cabaña era posible ver El Morro, y su cima se elevaba veintitrés pies por sobre la fortaleza. El rey español había reconocido el cerro como un elemento estratégico clave en la batalla días atrás, dando a Prado órdenes expresas de fortificarlo y defenderlo con urgencia. Por razones desconocidas, Prado simplemente ignoró las órdenes del rey. El cerro La Cabaña fue dejado totalmente intacto, y en cosa de días, estaba plagado de soldados británicos. Abandonando la idea de las trincheras, el ingeniero coronel Patrick Mackellar comenzó a construir parapetos en su lugar, fortificaciones de campo detrás de las cuales sus hombres podían cavar. Pieza por pieza, sus hombres avanzaron por el cerro hacia un bastión de El Morro, construyendo sus parapetos para protegerse mientras avanzaban. Velasco y sus hombres se prepararon para el ataque.

La atmósfera en El Morro debe haber sido palpablemente tensa a medida que los británicos continuaban su lento e implacable avance durante los siguientes once días, profanando el campo del cerro La Cabana con su masa de hombres y cañones, talando los bosques para construir sus parapetos, y minando a través de la tierra para destrozar el suelo. Los españoles podían hacer poco más que observar y esperar a que sus enemigos estuvieran a su alcance, viendo desde la seguridad de las murallas de El Morro, sabiendo que esas murallas pronto se convertirían en una jaula y luego en una trampa mortal. Velasco animó a sus hombres, su radiante valentía inspiró a todos, por lo que cuando los británicos finalmente abrieron fuego el 22 de junio, sus soldados se mantuvieron firmes. Cañones pesados y morteros del lado británico disparaban fuertemente contra El Morro, encontrándose con la respuesta a los disparos desde el interior de los castillos, pero el fuego británico brindó la suficiente cobertura para que Mackellar pudiera continuar construyendo sus parapetos cada vez más cerca de la fortaleza.

La siguiente semana fue casi intolerable para los soldados españoles. El Morro estaba recibiendo quinientos impactos cada día; los hombres de Velasco tenían que luchar toda la noche, cada noche, para reparar las maltrechas murallas de la fortaleza. Trabajaban por tanto tiempo y tan duro que Velasco continuaba teniendo que rotar sus hombres con aquellos en la ciudad para ser capaz de continuar defendiendo la fortaleza. No hay registro de que el propio Velasco haya regresado a la ciudad; de haberlo hecho, la defensa española posiblemente habría tambaleado sin su valiente liderazgo. Permaneció en el frente animando a sus hombres, a pesar de perder treinta vidas al día, para mantenerse firmes contra el avance británico.

Prado, por lo general, no estaba presente para ayudar a las sitiadas tropas de El Morro. Se necesitó mucha persuasión por parte de Velasco para que el comandante aceptara asaltar a las tropas británicas para destruir algunos de los cañones que estaban infligiendo daños tan graves a la fortaleza. Finalmente, el 29 de junio, Prado estuvo de acuerdo. Velasco envió a casi mil hombres a atacar los parapetos británicos desde la retaguardia. Los hombres hicieron un esfuerzo decidido, clavando armas (colocando púas de acero en el orificio a través del cual se disparaban los cañones) tan rápido como podían, pero los británicos reaccionaron demasiado rápido para permitir que los españoles causaran un gran efecto, y finalmente la incursión no tuvo éxito.

Dos días después, el primero de julio, los británicos tomaron represalias. A pesar del hecho de que las tropas británicas habían sido mermadas por la fiebre amarilla, aún quedaban suficientes hombres para montar un ataque devastador contra El Morro. Cuatro barcos de guerra y la artillería en tierra abrieron fuego contra El Morro al mismo tiempo, golpeando la fortaleza por todos lados con una lluvia de disparos. Velasco devolvió el fuego, treinta de sus cañones escupían muerte sobre los barcos británicos. Murieron casi doscientos soldados británicos y uno de los barcos fue destruido, obligándolos a retirarse. Pero en el lado terrestre de El Morro, se produjo una brutal carnicería en la fortaleza. Mientras el sol se ponía, solo tres cañones podían dar algún tipo de respuesta a la batería del parapeto británico.

Esto podría haber sido perfectamente el fin de la batalla de no haber sido por un incendio que se desató entre los parapetos británicos al día siguiente. No se sabe con certeza de dónde provino el fuego, pero destruyó gran parte de las defensas británicas, obligando a las tropas a retirarse hacia donde los parapetos aún estaban intactos. Velasco aprovechó la oportunidad para restaurar El Morro a algo defendible una vez más. Las fuerzas opositoras se encontraban una vez más en una especie de punto muerto, el asedio se prolongó una vez más.

Pero el comandante británico George Keppel, tercer conde de Albemarle, sabía que no tenía tiempo para esperar. Se acercaba la temporada de huracanes, y una flota abandonada en mar abierto estaría condenada al viento y las olas. Tenía que tomar esta fortaleza pronto o nunca. Enviando muchos de los cañones de sus barcos para reemplazar los que fueron destruidos en el incendio, ordenó a sus fuerzas terrestres a reiniciar el ataque contra El Morro. Pieza por pieza, los dos comandantes opuestos desgastaban a las tropas del otro, y la esperanza se desvaneció para ambos.

El 20 de julio, ambos comandantes estaban desesperados. Todos los cañones de Velasco habían sido silenciados; las tropas ya no podían reparar las murallas de El Morro, y no podían hacer nada más que observar cómo los británicos continuaban causando destrucción en su fortaleza. Sesenta españoles morían cada día mientras alrededor de seiscientos impactos directos golpeaban El Morro diariamente. El ejército británico estaba a la mitad de sus fuerzas por la fiebre amarilla; el resto de los hombres, desanimados y enfermos, trabajaban lentamente, cojeando hacia El Morro sin una convicción real. La única esperanza de Velasco era atacar y destruir las obras de asedio británicas; la esperanza de Albemarle eran los refuerzos de América del Norte. Típico de su naturaleza valiente, y en marcado contraste con su mando informal, Velasco hizo el primer movimiento. En las primeras horas de la mañana del 22 de julio, 1300 tropas españolas navegaron a través de la bahía de La Habana para atacar las obras de asedio británicas. La batalla fue un fracaso estrepitoso, apenas dejando una marca en las fuerzas británicas.

Observando que Velasco se estaba quedando sin opciones, Albemarle, quizás admirando a su tenaz oponente, le ofreció la oportunidad de rendirse, incluso permitiendo a Velasco escribir sus propios términos de capitulación. Por supuesto, Velasco se negó a abandonar La Habana, escogiendo en cambio enfrentar al enemigo hasta el final.

El 29 de julio, Velasco tuvo una oportunidad de rendirse. Su situación era completamente desesperada; los británicos habían minado el bastión derecho de El Morro y estaban listos para detonar una explosión masiva, pero Albemarle decidió dar a los españoles una última oportunidad. Lanzó un asalto falso desde el océano, con la esperanza de que Velasco finalmente entrara en razón. Lo hiciera o no, aún se negaba a rendirse; en cambio, lanzó un último y desesperado ataque contra los mineros británicos, utilizando dos goletas españolas. El ataque fue inútil. Horas más tarde, la mina estalló, llenando la zanja que había sido la última defensa de El Morro. Las tropas británicas asaltaron la fortaleza y el largo y doloroso asedio se convirtió en feo tumulto de lucha cuerpo a cuerpo.

Un líder enérgico hasta el final, Velasco fue uno de los primeros hombres en correr al frente y atacar a los soldados que se acercaban. Una bala británica en el pecho finalmente lo derribó. En respeto a su valiente oponente, el mando británico permitió una tregua momentánea para trasladar al moribundo Velasco a La Habana para que los cirujanos hicieran un esfuerzo para salvarlo. Pero, como todos los esfuerzos de Velasco, la cirugía fue bien intencionada, desesperada, valiente, y en última instancia inútil. El 31 de julio de 1762, Luis Vicente de Velasco murió.

Semanas más tarde, con su único verdadero líder asesinado, La Habana finalmente cayó ante los británicos.

Prado y Hevia sobrevivieron a la caída de La Habana el 13 de agosto, pero ambos cayeron en desgracia al regresar a España. Prado murió en la cárcel, cumpliendo una condena de diez años por incompetencia. La suerte de Hevia fue un poco mejor; en parte debido a que no quemó los barcos restantes, permitiendo que los valiosos recursos cayeran en manos enemigas, fue sentenciado a diez años de arresto domiciliario.

En marcado contraste, Velasco fue honrado tanto por aliados como por enemigos. Tras ordenar las sentencias de Prado y Hévia, el rey Carlos III ordenó erigir una estatua en honor a Velasco; permanece en la ciudad española de Meruelo hasta la actualidad. El hermano de Velasco, Iñigo José de Velasco, recibió el título de marqués.

Pero los españoles no fueron los únicos en honrar a este héroe de guerra. Incluso los británicos, quienes perdieron a más de quinientos hombres por sus esfuerzos, no pudieron evitar reconocer su valentía y tenacidad. Hasta el siglo 20, los barcos británicos disparaban salvas cada vez que pasaban por su ciudad natal. Aún existen monumentos en su honor en la Torre de Londres y en la Abadía de Westminster.

A pesar de la sangrienta batalla que se luchó para mantener a La Habana en posesión española, en última instancia, toda la lucha parecería inútil. La ocupación británica de La Habana fue breve pero eventualmente benefició enormemente la economía de la ciudad. Con el monopolio español sobre el comercio destruido, nuevos bienes llegaron a la ciudad. Crucialmente, esto incluyó caballos y esclavos, los cuales impulsaron la productividad de las plantaciones de caña de azúcar escasas de personal. La Habana comenzó a comerciar activamente con América del Norte y otras partes del Caribe, y la prosperidad económica estaba en el horizonte. Por primera vez, la Llave al Nuevo Mundo estaba en las manos del resto del mundo.

Pero los británicos no tendrían el control de La Habana por mucho tiempo. El 10 de febrero de 1763, solo meses después de la batalla que cobraría la vida de tantos españoles y de su obstinado líder, se firmó la Paz de París. La guerra de los Siete Años había terminado, con Gran Bretaña como vencedora sobre Francia y España. La presión de los comerciantes británicos, quienes temían la caída de los precios del azúcar, obligó a los británicos a devolver La Habana a España a cambio de todo el estado de Florida.

Velasco pudo haber vivido y muerto aparentemente en vano, pero una cosa sigue siendo obvia: fue un líder valiente entre tontos incompetentes en la Batalla de La Habana, y los monumentos a su valiente vida y muerte se mantienen por una buena razón.

Capítulo 4 – Los Esclavos de La Habana

La joven apenas podía respirar de miedo. Las largas semanas a bordo del barco de esclavos habían sido las peores de su corta vida. Tumbada en hacinamiento que la hacía sentir como si la hubieran puesto en un ataúd, encadenada a una cama de tablones, apenas tenía espacio suficiente para levantar su cabeza o alcanzar la mano del esclavo a su lado. A veces esa mano agarraba desesperadamente la suya con la desesperada esperanza de recibir comodidad de otro ser vivo, por anónimo que fuera; en otras ocasiones, la mano estaría rígida y fría, y permanecería en la oscuridad esperando que la tripulación descubriera que otro de ellos había muerto. Y muchos de ellos lo habían hecho.

Y ahora, finalmente, el interminable balanceo del barco sobre el turbulento océano había cesado. La tripulación dijo que esto significaba que estaban llegando a su destino, que el tortuoso viaje finalmente había terminado. Sin embargo, ahora se encontraba jadeando por aire con una nueva y penetrante ansiedad. Había resistido por tantas semanas para ver el cielo nuevamente, para ver tierra nuevamente, ¿pero qué le deparaba el futuro? ¿Qué le ocurriría en este nuevo lugar?

Finalmente, el movimiento del barco se detuvo completamente. Estaban anclados. Los látigos se azotaban y enojadas voces les gritaban en el idioma que aún solo entendían a medias. La joven agachó la cabeza y se acurrucó entre sus compañeros, buscando seguridad en la masa de cuerpos humanos inmundos a su alrededor. Parpadeando por la luz repentina, los esclavos fueron conducidos a la cubierta como ganado.

La bahía alrededor de ellos brillaba tan azul como un zafiro, un color odiado, el tono de una gran masa de agua, algo que la joven nunca quiso volver a ver. Pero a unas pocas yardas de distancia, había tierra. Una jungla de un verde profundo se alzaba en todo su alrededor en los brazos de la bahía; había vislumbrado campos y páramos que hicieron que su corazón anhelara volver a la casa de la que había sido arrancada con tanta fuerza. Pero entre esa salvaje belleza y ella se encontraba una ciudad como nunca antes había visto. Todo eran muros de piedra y casas de madera y extraños arcos que no tenían sentido para la joven africana. ¿Dónde estaba el arte? ¿Dónde estaba la cultura?

Y lo peor de todo, ¿qué le harían allí?

El abuso español de los cubanos nativos terminó alrededor del siglo 16, pero no por alguna razón moral o humana. Para entonces, en realidad no quedaba ningún cubano para abusar. En su mayoría, habían sido asesinados por la guerra, las enfermedades y la hambruna cuando la marea entrante de europeos arrasó con sus vidas.

Pero los nuevos residentes de Cuba no habían terminado con la explotación. En cambio, poco después de que los nativos fueran casi aniquilados, recurrieron a una nueva forma de obtener mano de obra barata para la industria azucarera: la esclavitud. El primer cargamento de esclavos cruzó el Atlántico en un barco portugués en 1526, desde África a Brasil. Pero fue doscientos años después, con la derrota de La Habana y la breve ocupación británica de la ciudad, que la trata de esclavos en Cuba realmente comenzó en serio. En 1762, los traficantes de esclavos británicos llevaron aproximadamente a cinco mil africanos secuestrados a La Habana, abriendo una nueva puerta para los propietarios de plantaciones y molinos en toda la isla.

No pasó mucho tiempo para que el mundo se enterara de este nuevo e increíblemente lucrativo comercio, y hubo pocos países que no fueron culpables. Países europeos como Inglaterra, Francia, España, Portugal y el Imperio holandés se apresuraron a facilitar el comercio; estos países enviarían comerciantes a África para comprar esclavos, luego los enviarían a través del Atlántico a través del famoso Paso Medio y los revenderían en el Nuevo Mundo. El propio Nuevo Mundo se llenó completamente de esclavitud. Cuba, la actual Haití, Jamaica, Brasil, los Estados Unidos, y otros se dedicaban a comprar esclavos y a ponerlos a trabajar, usualmente en plantaciones de azúcar.

Incluso África no estuvo libre de culpa. Los países africanos descubrieron que capturar desventurados inocentes y venderlos a comerciantes de esclavos era una forma fácil de ganar dinero rápido. Algunos países y reinos llevaron esto tan lejos como para librar activamente guerras entre sí simplemente para obtener prisioneros de guerra que pudieran ser luego vendidos como esclavos. Otros ajustaron sus leyes para que los castigos para muchos crímenes fueran encarcelamiento y venta. La esclavitud en sí no era desconocida en África; a menudo era usada como castigo por crímenes y deudas, a pesar de que la esclavitud mercantil, el concepto de personas como propiedad, era poco común.

La sociedad africana de ninguna manera era tan atrasada como los europeos intentaban hacerla parecer. En un intento por justificar sus acciones, los comerciantes de esclavos describían las condiciones en África como primitivas, tratando de escribir a los africanos como estúpidos e inferiores. Sin embargo, África era un continente de abundante cultura. Los africanos se dedicaron al arte y ciencia avanzados, comenzando desde el Antiguo Egipto, una cultura que había estado floreciendo por dos mil años cuando se construyó Roma.

Era algo brutal para un africano ser arrancado de su vida y metido en el salvaje comercio de esclavos. Miembros productivos de la sociedad, como profesores, campesinos, doctores o guerreros, fueron encadenados y tratados peor que animales. Comenzando con un largo encarcelamiento en "fábricas" (edificios expresamente para albergar esclavos), esperarían la llegada de un barco de esclavos, donde la tortura realmente comenzaría.

El viaje de África al Nuevo Mundo a través del Paso Medio era completamente inhumano, en condiciones tan brutales que los marineros debían ser obligados a trabajar en barcos de esclavos. Mientras más esclavos pudiera llevar un barco, más dinero ganarían su capitán y su dueño; por esta razón, la mayoría de los barcos abarrotaban a cientos de esclavos, más de los que podían sobrevivir al viaje. Los esclavos eran encadenados entre sí o encadenados a una cama de tablones, y se los alimentaba con el mínimo indispensable para mantenerlos con vida, a menudo con menos. En promedio un 15% de los esclavos morían durante el viaje de diez semanas al Nuevo Mundo. La mayoría moría por enfermedades como la disentería y el sarampión, los que se propagaban con una velocidad terrible en los cuartos hacinados. Otros morían de simple deshidratación y desnutrición, muriéndose lentamente de hambre en la oscuridad bajo la cubierta.

Pero aún más se quitaban la vida, valorando la libertad más que la vida, o simplemente eran llevados a los confines de la depresión por las espantosas condiciones. Durante el ejercicio forzado en cubierta, corrían a los bordes y saltaban por la borda en manadas, arrojándose a merced de las olas, los tiburones, y las balas de los enfurecidos comerciantes de esclavos que les negarían su último acto de libertad: morir en sus propios términos.

Como un centro de comercio, La Habana naturalmente se convirtió en el lugar donde los cubanos iban a comprar esclavos. Cientos de barcos de esclavos entregaban miles de esclavos a La Habana durante los siglos en que prosperó la trata de esclavos, y cada esclavo sería sometido al mismo trato brutal a su llegada. La terrible verdad era que el viaje por el Atlántico era solo el comienzo del sufrimiento de los esclavos. Una vez que llegaban al Nuevo Mundo, estaban a punto de ser despojados de lo único que les quedaba: los vínculos que habían formado a bordo de los barcos, la familia que los había acompañado e incluso su cultura.

Inmediatamente después de su llegada, la mayoría de los capitanes quería vender su carga lo antes posible para regresar a África por otra carga de seres humanos. Los esclavos serían descargados rápidamente, y luego bañados para que su olor y apariencia fueran más aceptables para los potenciales compradores. Los hombres eran afeitados, vestidos de forma barata. Durante el viaje, por lo general iban desnudos, y les frotaban la piel con aceite de palma en un intento por esconder las llagas y cicatrices que habían obtenido durante el viaje. Es difícil especular qué habrían hecho los comerciantes exactamente con los codos de los esclavos, los que a veces estaban desgastados hasta los huesos por la presión sobre las camas de tablones.

Una vez que habían sido limpiados y hechos un poco más presentables, a veces los esclavos se vendían como un lote al por mayor a un comerciante, el cual posteriormente era subastado al mejor postor. Los compradores no prestaban atención a las familias. Los niños eran arrancados de los brazos de sus madres, los maridos separados de sus esposas. Más tarde, los esclavos eran subastados como ganado o muebles, pero al principio del apogeo del comercio de esclavos, se vendían mediante el método más brutal: la disputa.

Durante una disputa de esclavos, la carga de esclavos se conducía a un corral como ganado. Los compradores se trasladaban por el corral, pinchando, codeando e inspeccionando a las personas para determinar a cuáles querían. Luego, se disparaba un arma y se desataba un caos absoluto. Como animales salvajes, los compradores luchaban entre sí para obtener los esclavos que querían. Era el Viernes Negro, excepto que los objetos a la venta eran seres humanos aterrorizados que no tenían la menor idea de qué estaba ocurriendo o de lo que los enloquecidos compradores querían hacer con ellos.

Cuando la lucha y el caos terminaban, los compradores se alineaban con los esclavos que habían logrado agarrar, pagaban sus compras, y luego marcaban a sus esclavos con sus iniciales usando una plancha caliente. Luego, era hora de prepararse.

Los campamentos de preparación eran lugares donde se enviaba a los esclavos nuevos para aclimatarse al clima y las enfermedades cubanas, así como a su nuevo estatus como propiedad en lugar de personas. Los africanos llegaban al Nuevo Mundo, al igual que los europeos, sin ninguna inmunidad a muchas de las enfermedades endémicas del lugar, como la disentería y la fiebre amarilla. Los esclavos generalmente pasaban un año acostumbrándose, donde contraerían estas enfermedades y sobrevivirían, volviéndose inmunes, o morirían. Y morían, en cantidades terribles.

El otro propósito de los campos de preparación era convertir a los africanos de seres humanos individuales e independientes, a personas de espíritu quebrantado y desesperanzadas que simple y tontamente obedecerían la voluntad de sus amos. En el lenguaje moderno, este tiempo se dedicó a enseñar a los esclavos la lección más terrible de todas: la desesperanza aprendida. Eran abusados hasta que se daban cuenta que el abuso era ahora su pérdida, y caían en una depresión tan profunda que no se resistirían al trato duro ni objetarían la gran injusticia a la que serían sometidos por el resto de su vida. Los esclavos preparados no eran un problema. No se enfermaban y no se defendían, y por esta razón, eran mucho más valiosos que los que acababan de llegar.

Los esclavos más valiosos de todos eran quienes habían nacido en la esclavitud. Los hijos de las esclavas mujeres eran propiedad de sus amos, y a menudo eran vendidos para obtener una gran ganancia. Nacían sabiendo nada más que permanecer en silencio y obedecer.

Una vez que la preparación terminaba, el sufrimiento de los esclavos de ninguna manera había finalizado. Para ellos no había forma de escapar de los malos tratos. Enviados a plantaciones de azúcar, el destino de aproximadamente el 70% de los esclavos importados a cuba, eran puestos a trabajar plantando, cosechando y refinando azúcar. Estos desventurados esclavos eran los que más sufrían. Trabajando veinte horas por día en la época de cosecha, operaban maquinaria peligrosa sin consideración alguna a la seguridad, y con solo un mínimo de raciones. Por la noche los metían en barracones, recintos calientes que carecían de aire y estaban sucios, y por lo general muy pequeños para la cantidad de personas forzada en su interior.

Los esclavos también fueron sometidos a un trato horrible por parte de sus amos. A pesar de los esfuerzos del Código Negro Español, que intentó establecer algún tipo de limitación a la brutalidad del trato que los dueños le daban a los esclavos, muchos de ellos golpeaban absurdamente a sus esclavos por la más mínima falta. Otros matarían de hambre a sus esclavos o los pondrían en el cepo como castigo.

Por mucho que La Habana prosperara durante el período siguiente, con el florecimiento del comercio de azúcar y esclavos, tenía un lado oscuro. Si bien las plantaciones de azúcar se ubicaban más hacia el interior, La Habana misma no era menos culpable. La mayoría de los esclavos que trabajaban en la ciudad eran mujeres. Operaban tabernas y restaurantes, actuando también como lavanderas y sirvientas domésticas para los ricos y privilegiados. Uno solo puede imaginar cuán horribles deben haber sido sus nuevas vidas en la gran ciudad en comparación con cómo habían vivido en los vastos espacios de África. Despojadas de todo lo que amaban, incluyendo su cultura, estas mujeres eran embutidas en ropa europea y puestas a trabajar en una ciudad donde apenas podían ver el cielo, lavando ropa y barriendo el suelo a personas que apenas se preocupaban de alimentarlas.

Sin embargo, los esclavos que más sufrieron, entre todos los esclavos de Cuba, eran probablemente las mujeres que eran contratadas como prostitutas en las calles de La Habana. Se paraban en las esquinas de las calles o esperaban en los burdeles, llenas de cicatrices, golpeadas, con los ojos vacíos, víctimas de un comercio que llenaba los estómagos de los prósperos en algún lugar lejano, solas en un mundo donde se les había robado todo por lo que vivían. No es de extrañar que una de las principales causas de muerte entre los esclavos fuera el suicidio.

La esclavitud solo sería abolida a fines del siglo 19. Hasta entonces, casi cuatrocientos mil esclavos habían sido traídos a trabajar en las plantaciones de azúcar en Cuba, abasteciendo al mundo de aproximadamente el 30% de su azúcar. Posiblemente el número más asombroso que muestra el impacto de la esclavitud sobre la isla es este: alrededor del 65% de todos los cubanos de hoy son descendientes de esclavos.

Capítulo 5 – Huracanes

Después del retorno de La Habana a control español en 1763, la fea derrota en la Batalla de La Habana aún permanecía fresca en las mentes de la corona española, e inmediatamente la ciudad entró en un periodo de construcción y fortificación. Esto comenzó con la construcción de una gigantesca fortaleza, que se conocería como la Fortaleza de San Carlos de la Cabaña. Su escala no tenía precedentes, ninguna fortificación de su tamaño había sido construida en el Nuevo Mundo, y contribuyó a la nueva reputación de La Habana como la ciudad más fortificada en América. Estaba muy lejos del pequeño pueblo que había sido fácilmente destruido por piratas en el siglo 16. Se ubicaron baterías de cañones por todo el canal de la bahía, y se construyeron más castillos en el astillero y en el lado oeste de la ciudad. Sería muy tonto atacar La Habana ahora.

La corona española tenía una buena razón para defender este activo con tanta diligencia. A medida que la ciudad entraba en el siglo 19, el comercio floreció entre Cuba y América del norte. El astillero de La Habana, El Arsenal, también impulsó la economía; aquí algunos de los más importantes barcos de guerra de la época fueron construidos. Entre ellos estaba la *Santísima Trinidad*. Era el buque de guerra más grande del mundo. En su máximo, tenía casi ciento cincuenta cañones en sus cuatro cubiertas, y era más larga que el ancho de un campo de fútbol. Reinó en alta mar hasta su hundimiento después de la batalla de Trafalgar en 1805.

Impulsada por el exitoso puerto, la prosperidad inundó las calles de La Habana, permitiendo la construcción de mansiones, iglesias, ferrocarriles y teatros. Uno de estos fue el Teatro Tacón, actualmente conocido como el Gran Teatro de La Habana; hasta la actualidad, ofrece lujo a gran escala y arte en su máxima expresión. La clase media se vio inesperadamente inundada de dinero; rápidamente desarrollaron la reputación de La Habana por el arte y la moda. Distinguidos actores acudían en masa a sus teatros, y pronto la ciudad sería conocida como un segundo París, este en un lugar exótico.

Por un breve tiempo, La Habana también albergó los restos de Cristóbal Colón, el hombre que había descubierto la isla casi cuatrocientos años antes. Estos serían removidos de la ciudad cuando Cuba se independizó de España a finales del siglo 19.

Para 1863, la ciudad estaba creciendo en tal número y en tal estado de paz que las murallas fueron demolidas para abrir espacio para más. Pero no todo era siempre bueno durante este período. La Habana tenía que enfrentar otro enemigo, uno más destructivo que la flota británica que la había conquistado un siglo atrás: la Madre Naturaleza.

Los huracanes han asolado el Caribe por cientos de años. Estas enormes tormentas azotan las islas todos los años durante la "temporada de huracanes", usualmente entre junio y diciembre, y continúan causando estragos hasta el día de hoy.

Los primeros huracanes severos registrados en La Habana ocurrieron en 1705 y 1715. Otros seguirían en 1751 y 1766. Solo dos años después, el 15 de octubre de 1768, un huracán mejor documentado devastaría la ciudad. Casi mil personas murieron; casi cien edificios públicos y más de cuatrocientas casas fueron reducidas a escombros. Más huracanes golpearían la ciudad en 1774, 1775 y 1778. En 1779, el huracán Dunbar golpeó Luisiana y partes de Cuba, incluyendo La Habana; este huracán hundió muchos barcos, pero fue más notable debido a que fue la tormenta en que William Dunbar documentó por primera vez que la naturaleza de un huracán giraba alrededor de un vórtice.

En 1791, La Habana sería golpeada por el Gran Huracán de Cuba. El 21 de junio, la tormenta golpeó el oeste de cuba, desatando un aguacero que hizo crecer los ríos que rodeaban La Habana hasta que se desbordaron y se precipitaron a través de la ciudad en una ola de agua que cobró tres mil vidas. La década de 1790 continuaría plagada de tormentas mortales; otra fue registrada en 1792, y en 1794, otro huracán dejó la bahía de La Habana inundada con más de cien cuerpos.

Pero fue en 1846 que La Habana sería azotada por el peor huracán hasta el momento: el Gran Huracán de La Habana

El 5 de octubre de 1846, el mar Caribe mostró los primeros indicios de la presencia del huracán. Acumulando poder, comenzó a moverse. El viento azota la lluvia y la espuma del mar, y la tormenta enrollada pasó frente a la costa de Jamaica. Al día siguiente, sus vientos helados aullaban por las Islas Caimán, destruyendo edificios y corazones con su fría promesa de la destrucción venidera.

El primer indicio de problemas en Cuba llegó el 10 de octubre. La gris tormenta borró el sol poniente, volviendo el cielo de colores oscuros mientras el vendaval ganaba fuerza y rugía sobre la isla. Cuando amaneció, los vientos habían ganado aún más fuerza. Rugían a través de La Habana, rasgando y desgarrando las casas de madera y arrojando tejas por todas partes; los barcos se sacudían y se agitaban con las olas en la bahía que alguna vez estuvo en calma. Las casas que habían sido construidas con tanta diligencia con la abundante madera no eran rival para los vientos aulladores que mantenían velocidades sostenidas de 175 millas por hora. Uno por uno, los techos fueron arrancados de las casas y las paredes derribadas como si las hubiera barrido un gigante vengativo. Las olas de la bahía crecieron y alcanzaron alturas de treinta pies. Comerciantes y marineros desesperados cortaron sus mástiles y los arrojaron al mar para intentar salvar sus naves, pero sus esfuerzos fueron inútiles, las implacables olas los capturaron, los voltearon e incluso los arrojaron al fondo del mar. Ni siquiera El Morro era impenetrable, no para esta tormenta. Las olas alcanzaron hasta la punta más alta del faro de la fortaleza, salpicando las linternas con espuma de mar.

Para agregar a los terribles vientos, el huracán arrojó otra carta bajo la manga: la lluvia. Una vez más, los ríos se desbordaron. Las cosechas fueron arrastradas de sus campos o destrozadas por el viento. Cientos de personas quedaron aplastadas entre los restos de las casas en las que habían confiado; aún más se ahogaron en las crecientes aguas o se hundieron con los barcos devastados.

Cuando la tormenta finalmente amainó el 14 de octubre, poco quedaba de La Habana. Más de cien barcos habían estado descansando en el puerto y ahora solo doce quedaban, el resto se hundió o fue arrastrado hacia el mar. En cuanto a la ciudad, estaba prácticamente destruida.

La Habana nunca antes había visto un huracán así. Su presión atmosférica de 938 milibares fue la más baja jamás registrada hasta ese momento; luego sería clasificado como un huracán categoría 5, el primero en azotar Cuba. Y por setenta y ocho años, el récord del Gran Huracán de La Habana como el más violento registrado en el país permanecería. Lamentablemente, fue una vez más en Cuba, esta vez en 1924, que se rompería el récord, esta vez por el primer huracán oficialmente clasificado como categoría 5. Y con el huracán Irma tocando tierra en Cuba una vez más en 2017, estas tormentas siguen siendo el único enemigo constante que continuará plagando la isla por los siglos venideros.

Capítulo 6 – Comienza La Lucha por la Independencia

24 de noviembre de 1871. Era un agradable día de invierno en La Habana, y el profesor de anatomía de los niños llegó tarde a clase. Descubrieron que, si el profesor no se molestaba en enseñarles, entonces ellos tampoco se molestarían en dejarse enseñar, y en una ruidosa procesión de excitada libertad. Los muchachos salieron por las puertas de la Universidad de La Habana y bajaron por la calle hacia el Cementerio de Espada. Era un lugar pequeño y desaliñado incluso para entonces, a punto de ser cerrado después de una abrumadora epidemia de cólera en 1868, pero los niños la encontraron atractiva debido a que estaba vacía y era un poco espeluznante. Perfecta para los desafíos y las bromas que les encantan a los adolescentes. De entre dieciséis y veintiún años, eran poco más que niños, y conocían bien el cementerio por los cadáveres que a menudo llevaban de allí a sus clases. Pasaron lo que se suponía que sería su hora de clase jugando en la más pura tradición de los estudiantes en todas partes: recogiendo flores frente a los edificios del cementerio, montando en el carro que se usaba para trasladar los cadáveres a la universidad, y en general, causando estragos inocentes en nada más que los nervios del otro.

A su alrededor, la isla estaba envuelta en una guerra civil. Los muchachos apenas estaban conscientes de que un loco revolucionario llamado Carlos Manuel de Céspedes del Castillo había tocado la campaña de su ingenio azucarero cerca de Bayamo y declaró la guerra al opresivo gobierno español tres años antes; desde entonces, los revolucionarios y el gobierno se habían enfrentado por toda Cuba. Los revolucionarios estaban decididos a lograr la independencia de su amada isla y abolir la esclavitud; los españoles estaban decididos a mantener su férreo control sobre la lucrativa ciudad de La Habana y su comercio de esclavos. Ninguno de los dos cedía, pero los muchachos estaban aislados de todo. Su riqueza y privilegios los protegían de los horrores tanto del comercio de esclavos como de los peores métodos opresivos del gobierno, y su ubicación los protegía de la guerra misma. La Habana estaba firmemente bajo el control español, y los revolucionarios fueron inteligentes en no atacar la ciudad fortificada. Los muchachos estaban a salvo de todo.

Al menos, eso pensaban. El español que hacía guardia en el cementerio estaba cansado e irritado por la guerra, y ver a estos muchachos cubanos divertirse con tonterías cuando debían haber estado en clase era el colmo. Observó con los ojos entrecerrados mientras se empujaban el uno al otro, riéndose, luchando y maldiciendo, y una oscura idea se formó en su mente.

Tres días después, los ocho muchachos y el resto de su clase fueron arrestados. El guardia español había presentado una falsa denuncia en su contra, diciendo que sus payasadas juveniles habían incluido la profanación de la tumba de un periodista español, Gonzalo Castañón. Los ocho muchachos en cuestión no habían hecho tal cosa, y el resto de su clase ni siquiera había salido de la universidad ese día, pero todos fueron sentenciados, todas sus posesiones fueron sometidas a responsabilidad civil, y algunos recibieron hasta seis meses en prisión, otros cuatro años, e incluso otros diez. Y todos los chicos que se habían escapado de clase fueron condenados a muerte.

A las 4 de la tarde del 27 de noviembre, los muchachos fueron dirigidos a la solitaria fortaleza de La Punta, donde aún hacía guardia sobre el canal de la bahía de La Habana. Cada uno llevaba un crucifijo en sus manos atadas, la ironía de la figura torturada del inocente y moribundo Jesús totalmente perdida entre los guardias que estaban a punto de asesinar a estos muchachos cuyo único crimen habían sido tontas bromas a costa de nadie. Su mayor crimen fue el hecho de ser cubanos y que habían irritado al Cuerpo Voluntario, el grupo notablemente salvaje de soldados fuera de control que pertenecía al gobierno español. El Cuerpo no tenía escrúpulos. Los muchachos no tenían ninguna oportunidad.

En la explanada de La Punta, se ordenó a los muchachos que se arrodillaran. De dos en dos, los soldados tomaron posiciones detrás de los muchachos y apuntaron sus armas a sus nucas. Con una serie de crujidos ensordecedores, fueron asesinados. La sangre salpicó y las balas golpearon las paredes de la explanada. Los últimos dos muchachos tuvieron que ver morir a sus seis compañeros antes de que fuera su turno.

Cuando estuvieron todos muertos, sus cuerpos fueron arrojados descuidadamente a una fosa común. No hubo funeral. No hubo certificados de defunción en las iglesias. Y el mensaje de los españoles fue absolutamente claro. Todavía eran despiadados, y todavía estaban a cargo.

Hasta el día de hoy, todavía puede verse la muralla donde los muchachos fueron baleados, con las huellas de las balas que tan violentamente cobraron esas inocentes vidas. Un monumento a los chicos fue construido alrededor de la muralla y aún se mantiene en pie; y cada año, en el aniversario de ese fatídico día, los estudiantes de la Universidad de La Habana se reúnen en sus escalones para una peregrinación por la ciudad hasta la explanada de La Punta, a los pies del monumento dedicado a quienes murieron inocentemente en una guerra en la que ni siquiera estaban luchando.

La guerra de los Diez Años de entre los años 1868 y 1878 anunció el comienzo de la lucha de Cuba por la independencia del control asfixiante de la ocupación española. La nación que había controlado la isla desde Colón estaba consciente del descontento que existía entre los cubanos durante años. Cuba se había vuelto ridículamente lucrativa para la corona española; no solo La Habana era uno de los puertos más importantes de América, sino que la isla misma producía valiosos bienes comerciales, especialmente azúcar y tabaco en grandes cantidades. Sin embargo, los propios cubanos ganaban muy poco de los cultivos que plantaban y vendían. Menos de un décimo de los ciudadanos de la isla eran españoles, sin embargo, más de nueve décimos del dinero que generaba la isla iba a ellos en lugar de a los nativos cubanos.

El dinero ganado con tanto esfuerzo que legítimamente pertenecía a los propietarios cubanos de las plantaciones y otros empresarios se usaba para financiar las expediciones militares españolas, y para mantener al gobierno colonial sólidamente en el regazo del lujo mientras el resto del país luchaba. El resentimiento no hizo más que surgir ante un desprecio tan descarado por lo que era justo y equitativo.

Para echar más leña a este fuego, la esclavitud aún era una práctica aceptada en Cuba durante esta época, una que la corona española fomentaba. La guerra civil de Estados Unidos había terminado tres años antes de que la guerra de los Diez Años comenzara, y las conversaciones acerca de la emancipación se esparcía desenfrenadamente por América; para muchas personas, aumentaba la conciencia acerca de las reales atrocidades de la esclavitud. Los propietarios de las plantaciones también encontraban la esclavitud poco práctica y costosa, especialmente considerando a los trabajadores contratados de China disponibles libremente, y a la creciente presión de los países en vías de desarrollo para abolir completamente la esclavitud.

Para mediados de la década de 1860, las voces cubanas expresaban su descontento tan fuertemente que los españoles decidieron que debían silenciarse. Toda la oposición política y la prensa fue prohibida y silenciada, pero el acto solo provocó que el resentimiento y la frustración de los cubanos creciera aún más, como un absceso que se calienta y enfurece cuando se pierde de vista.

Finalmente, en 1867, ese absceso comenzó a estallar. Francisco Vicente Aguilera, irónicamente el dueño de plantación cubano más rico de toda la isla, formó una conspiración junto a otros cubanos ricos y poderosos, conocida como el Comité Revolucionario de Bayamo. Este comité respaldaba las demandas que las élites cubanas criollas habían planteado al gobierno español dos años antes: querían que se prohibiera el tráfico de esclavos, eliminar los aranceles, que los cubanos tuvieran igualdad judicial con los españoles, y representantes cubanos en el parlamento español. Sus demandas fueron ignoradas, por lo que Aguilera decidió que no había más remedio que tomar los asuntos en sus propias manos.

La conspiración de Aguilera se extendió como la pólvora. Los pueblos más grandes de Oriente pronto se involucraron con la idea, y en octubre, otro dueño de plantaciones comenzaría seriamente la revolución y se convertiría en un gran héroe de Cuba.

Carlos Manuel de Céspedes del Castillo comenzó su carrera como abogado estudiando en la misma Universidad de La Habana donde los estudiantes de medicina serían masacrados algunos años después. En 1840, viajó a España para continuar su carrera de abogado, pero en 1844 regresó a Cuba y compró una finca y una plantación de azúcar llamada La Demajagua. Un hombre apasionado que amaba las leyes, la música, y a una variedad de mujeres, Céspedes sería conocido más tarde como el Padre de la Patria. Fue el primer presidente de Cuba, el hombre casi exclusivamente responsable por iniciar la guerra de los Diez Años, y un héroe trágico que nunca vería su sueño convertirse en realidad.

Todo comenzó temprano en la mañana del 10 de octubre de 1868. Céspedes salió a la fresca mañana de otoño y se acercó a la campana de esclavos en los escalones de su ingenio azucarero, que sonaba todas las mañanas para llamar a los muchos esclavos de su plantación a trabajar. Brillaba con rocío a la luz de la mañana, y sabía que, en ese momento, treinta hombres y mujeres encadenados esperaban su llamado para presentarse al deber que no habían elegido para un hombre que se hacía llamar su dueño. Uno solo puede imaginarse la emoción que debió estar sintiendo Céspedes mientras se acercaba y hacía sonar la campana de los esclavos por última vez. En sus obedientes masas, los esclavos se levantaron de sus aposentos y se reunieron en filas ordenadas, listos para el trabajo que no habían pedido.

Céspedes se puso de pie y examinó las filas de los hombres y mujeres que le pertenecían por unos momentos antes de hablar. Pero esta vez, no daría órdenes. Era para decirles a los esclavos, a todos ellos, a cada uno de ellos, que eran libres. Libres para ir donde quisieran. Gente libre como él.

También eran libres de luchar por su país, por la independencia de Cuba. Y como uno solo, todos los ex esclavos de Céspedes estuvieron de acuerdo con unirse a su ejército rebelde.

El manifiesto que anunció Céspedes desde los escalones de su ingenio de su azucarero, mientras la nueva bandera de la Cuba independiente ondeaba con la temprana briza sobre él, se conoció como el Grito de Yara. Era un relato del maltrato al que España había estado sometiendo a Cuba, seguido de un resumen de los objetivos del movimiento revolucionario, y fue firmado por Céspedes y otros quince.

Sus conmovedoras palabras eran embriagadoras, hablando de "disfrutar de los beneficios de la libertad, para cuyo uso Dios creó al hombre" y de "deshacerse del yugo español". Describía un deseo de "compensar a quienes merecían compensación" y "una política de hermandad, tolerancia y justicia". Con estas palabras resonando en sus oídos, el ejército rebelde de Céspedes avanzó hacia la cercana ciudad de Bayamo. En tres días, la ciudad cayó, y los rebeldes estaban llenos de victoria; fue en este período que Perucho Figueredo compuso "La Bayamesa", la canción que se convertiría en el himno nacional de Cuba.

Pero no pronto. El prometedor inicio de la guerra resultó solo dar falsas esperanzas. En el sufrimiento y lucha de una década, a pesar de los intentos bien organizados de los rebeldes cubanos e incluso el establecimiento de un gobierno cubano para oponerse al español, poco se logró. En 1869, Céspedes fue electo presidente de la República en Armas. Casi al mismo tiempo, España, que no podía llegar a ningún acuerdo con los obstinados revolucionarios, inició una guerra de exterminación. Sus tácticas se volvieron más salvajes a medida que la guerra progresaba. Además del despiadado Cuerpo Voluntario quien asesinaba sediento de sangre sin cuidado o sin causa dondequiera que fueran, el ejército español se llevaba a las mujeres a los campamentos de la ciudad, disparaba a tripulaciones completas de cualquier barco que llevara armas, ejecutaba en el lugar a cualquier líder rebelde arrestado, y quemaban cualquier aldea que no mostrara una bandera blanca.

Los cubanos mostraron valentía y tenacidad, pero finalmente, su falta de recursos y apoyo por parte del más próspero lado oeste de la isla, incluyendo La Habana, los llevó a la ruina. Valientes hombres como Céspedes y aquellos que se convertirían en héroes en guerras posteriores, como Calixto García y José Martí, lucharon sin descanso por la libertad. Y los hombres no estaban solos; entre las filas de los héroes cubanos surgió Ana Betancourt, una mujer osada que vio su oportunidad de promover la causa de los derechos de las mujeres dentro de esta guerra por libertad e igualdad.

Céspedes en particular, si bien era controvertido incluso entre su propio gobierno y fue eventualmente destituido en 1873, dio todo por su causa, incluyendo a su hijo, Óscar. El gobierno español tomó prisionero al joven, y ofreció cambiar su vida por la renuncia de

Céspedes a la presidencia. Céspedes respondió que todos los muchachos oprimidos de Cuba eran como hijos para él, y que al renunciar los traicionaría; Óscar fue ejecutado sumariamente.

Pero los mejores esfuerzos de estos héroes terminarían en derrota. Céspedes fue asesinado a tiros en 1874, y los rebeldes flaquearon sin su liderazgo. El 28 de mayo de 1878, el Pacto de Zanjón puso fin a la guerra. En una última demostración retorcida de poder, los españoles acordaron liberar a algunos esclavos, pero solo a quienes habían luchado del lado de los españoles durante la guerra. Los esclavos cubanos debían permanecer en cautiverio.

Pero los cubanos no fueron derrotados con facilidad. Poco más de un año después, los rebeldes se levantaron nuevamente. Calixto García, un líder rebelde de la guerra de los Diez Años, no había firmado el Pacto de Zanjón. Viajó a la seguridad de Nueva York, y allí elaboró otro manifiesto, declarando la guerra una vez más a los españoles. Pero esta guerra solo duraría poco más de un año y terminaría igualmente que la anterior, en una derrota rebelde. El desanimado país estaba agotado por una década de guerra, y tanto los recursos como la moral estaban muy bajos para sostener un esfuerzo real contra los españoles. La guerra se agotó y terminó en septiembre de 1880, siendo conocida como la Pequeña Guerra.

Recién en la década de 1890 Cuba daría un último empujón hacia la libertad. Esta vez tuvieron ayuda.

Capítulo 7 – "Recuerden el Maine"

Era tarde por la noche el 15 de febrero de 1898, cuando el U.S.S. *Maine* explotó.

El acorazado permanecía anclado en la bahía de La Habana, balanceándose suavemente sobre la superficie negra, el agua en calma como un espejo. El barco era una cosa de belleza, poder y violencia. Uno de los primeros buques de guerra construidos por los Estados Unidos, el Maine llevaba cuatro cañones capaces de disparar un proyectil de media tonelada a una velocidad de más de seis mil pies por segundo. Pesaba casi siete mil toneladas y tenía más de trescientos pies de largo. La enorme gracia del barco anclado empequeñecía a los barcos mercantes que lo rodeaban; su mera presencia era suficiente para arreglar las cosas en La Habana, algo que era muy necesitado.

La guerra se había estado luchando por tres años, y esta vez, parecía que los rebeldes iban a ganar. Liderados por experimentados veteranos que habían visto fallar las dos apuestas anteriores por la independencia, los ciudadanos de Cuba estaban listos para luchar una vez más contra el férreo control de España sobre su país. España envió a más de doscientos mil hombres a Cuba durante la guerra; a comienzos de 1898, mantenían solo el control más tenue sobre un puñado de ciudades, incluyendo La Habana. Los ejércitos rebeldes, acampados apenas afuera de la ciudad, clamaban por sangre española. España fue obligada a ceder a algunas de las demandas del manifiesto de José Martí; acordó reemplazar a su líder más despiadado, el general Valeriano Weyler, redactar una constitución colonial para Cuba, e instalar un gobierno nuevo y más autónomo en La Habana, pero la sangre de los rebeldes estaba llena y la victoria estaba a la vista. Rechazaron los cambios, exigiendo que nada más que la independencia los satisficiera ahora.

En La Habana, se desató el caos dentro de la ciudad. Los leales a los españoles no reaccionaron bien a la presencia de un nuevo gobierno, lo que era irónico, considerando que los rebeldes tampoco. Tampoco a la prensa, la cual había sido liberada e imprimía artículos que criticaban el trato que España daba a Cuba. Poco después de la llegada del nuevo gobierno en enero de 1898, los disturbios comenzaron. Los leales a los españoles atacaron los periódicos que habían impreso esos artículos patrióticos, demolieron las imprentas y las destrozaron; en cuestión de días, La Habana estaba envuelta en locura.

La guerra se luchó en Cuba, pero había sido planeada en los Estados Unidos y obtuvo algo de apoyo de EE. UU. en forma de orientación y recursos. Por esta razón, cuando comenzaron los disturbios en La Habana, el cónsul general de EE. UU. basado en la ciudad estaba preocupado por las vidas de los estadounidenses que vivían allí. Envió un telegrama a EE. UU. solicitando apoyo. ¿Qué mejor manera de mostrar el nuevo poder de los nuevos Estados Unidos que enviar al hermoso y poderoso U.S.S. *Maine* para permanecer anclado calmadamente en la bahía? La sola presencia del barco sería una amenaza suficiente para arreglar las cosas.

En la última semana de enero, el *Maine* llegó a La Habana. Durante semanas permaneció en la bahía, completamente equipada y armada, pero aún no era llamado a la acción. Ahora, a mediados de febrero, era tarde por la noche, y sus hombres dormían cómodamente en sus camarotes en el enorme vientre del barco.

Incluso la inquieta ciudad había comenzado a calmarse ante la presencia de esta gran amenaza que yacía, neutral en ese momento, en la bahía.

Y luego el *Maine* explotó.

La bola de fuego creció desde la parte inferior del casco del barco, envolviéndolo en una nube de humo y llamas. El sonido fue espantoso, un rugido tan fuerte que era algo físico; la onda expansiva convirtió al calmado mar en un torbellino espumante de agua furiosa. Los vidrios de las ventanas de las casas cercanas estallaron, y la negra noche se volvió dorada mientras la bola de fuego ascendía por los aires, partiendo el *Maine* por la mitad con la fuerza de su paso. El tercio frontal del barco quedó hecho añicos; el resto de la nave estaba en llamas. Los soldados estadounidenses se vieron obligados a abandonar su poderosa belleza, mientras que lo que quedaba del *Maine* se hundía en un caos de humo y pólvora.

De los más de trescientos hombres a bordo del *Maine*, 260 murieron en la explosión. La mayoría de ellos eran soldados comunes cuyos camarotes se ubicaban en la parte frontal del barco, y estallaron en pedazos mientras dormían. 89 hombres sobrevivieron, incluida la mayoría de los oficiales, cuyos camarotes estaban más atrás del barco, lejos de la explosión. El mismo *Maine* resultó completamente destruido. Permanece en el fondo de la bahía de La Habana hasta la actualidad.

De inmediato, los Estados Unidos llevaron a cabo una investigación para determinar qué pudo haber causado la explosión de uno de sus más grandes buques de guerra. El 21 de marzo, se concluyó oficialmente que el Maine fue hecho explotar a propósito por una mina. No había forma de saber quién había colocado la mina, pero los españoles fueron automáticamente culpados.

Alentado por el periodismo amarillo de los periódicos más importantes de Nueva York, Estados Unidos fue conducido a un frenesí de odio a España y apoyo a Cuba. Cantando su frase de "recuerden el *Maine*", las masas exigieron la guerra como represalia por la destrucción de su gran barco de guerra. España había anticipado esta acción, y tomó medidas para apaciguar a los EE. UU., cumpliendo con algunas de las demandas anteriores del presidente William McKinley, incluyendo una de iniciar negociaciones con los rebeldes. Pero la tregua fue rechazada. Para los cubanos, era la independencia o nada.

Y para los estadounidenses, era hora de mostrar al mundo de lo que los Estados Unidos eran capaces. El 21 de abril, se declaró la guerra a España.

La última guerra de Independencia de Cuba comenzó en 1895, cuando tres barcos cargados de exiliados cubanos llegaron desde Florida, equipados con armas y municiones. El 24 de febrero comenzó la insurrección en serio. Las revueltas comenzaron por toda Cuba cuando los nativos se levantaron contra sus opresores, hombres negros y blancos se mantuvieron firmes hombro a hombro por su libertad de la esclavitud y de España por igual. Y esta vez, liderados por generales experimentados, comenzaron a ganar a pesar de las abrumadoras probabilidades. Los rebeldes eran aproximadamente tres mil, las fuerzas españolas eran aproximadamente veinticuatro mil. Sin embargo, entre el ejército español, había esclavos cuyos dueños los habían "ofrecido como voluntarios" para la batalla. Los cubanos lucharon con más pasión, a pesar de su falta de armas adecuadas, en una devastadora forma de guerra de guerrillas que comenzó a desgastar las defensas españolas a pesar de sus vastos números.

Sin embargo, la primera insurrección en la provincia de La Habana fue un estrepitoso fracaso. Esto fue descubierto antes de que la lucha comenzara, y sus líderes fueron arrestados y ejecutados. Sin embargo, en las provincias del este, los rebeldes tuvieron éxito. Fortalecidos por sus puntos de apoyo en el este, los rebeldes llevaron la lucha hacia el oeste, usando armas obtenidas durante los asaltos a los españoles. A finales de enero de 1896, los rebeldes habían invadido todas las provincias de Cuba. La Habana estaba a la vista.

En respuesta a los éxitos rebeldes, España reemplazó a su actual general, Arsenio Martínez-Campos y Antón, por un hombre más nuevo y despiadado, Valeriano Weyler. Weyler procedió a llevar a cabo un reinado del terror contra los cubanos. Exilió a miles de personas, y ejecutó a cientos; para octubre de 1896, había limpiado la mayoría de las granjas bajo control español de personas y animales, obligándolos a reunirse en ciudades fortificadas. La concentración fue devastadora, matando aproximadamente a la cuarta parte de aquellos sometidos a sus horrores, alrededor del 10% de la población de Cuba.

Las atrocidades de Weyler sirvieron de combustible al fuego rebelde. Reuniendo fuerzas, continuaron derrotando fuerzas que eran varias veces más grandes que ellos. Para 1897, España controlaba solo un puñado de ciudades. Forzados a tomar medidas para evitar la total aniquilación del gobierno español de Cuba, la administración en Madrid comenzó a negociar con los rebeldes. Pero no aceptarían nada de eso. Para cuando el U.S.S. *Maine* explotó, se había vuelto dolorosamente obvio de que los cubanos no se detendrían ante nada para ganar su independencia después de casi treinta años de lucha.

La participación de los Estados Unidos en la guerra de Independencia de Cuba la convirtió en lo que actualmente se conoce como la guerra hispano-estadounidense. Se convertiría en una guerra breve y unilateral, y en el fin de la lucha interminable en la que Cuba había estado atrapada por décadas.

Los Estados Unidos entraron a la guerra sin intenciones de anexar Cuba (aunque también invadieron Puerto Rico y Filipinas sin tal declaración), sino para ayudar al país a independizarse; esto inmediatamente conquistó a los rebeldes, y asistieron al ejército estadounidense cuando invadió, bloqueando puertos importantes y avanzando hacia Santiago, donde se ubicaba la mayoría de la flota naval española. Durante la batalla de Santiago de Cuba en julio de 1898, los estadounidenses destruyeron prácticamente toda la Escuadra del Caribe española. Santiago se rindió el 16 de julio, y el 17 de julio, viendo que la guerra estaba prácticamente perdida, España pidió la paz.

El brusco final de la guerra estableció por primera vez a los Estados Unidos como un oponente realmente formidable. Los historiadores cubanos afirman que el ejército rebelde estuvo a punto de ganar sin ayuda estadounidense, quizás animados a adoptar este punto de vista por el hecho de que los Estados Unidos excluyeron completamente a Cuba de las conversaciones de paz y de la firma del tratado después de la guerra.

También es discutible si los Estados Unidos realmente tenían que involucrarse en la guerra. Es posible que los españoles ni siquiera hayan tenido la culpa en la explosión del *Maine*, un catalizador muy poderoso para la guerra hispano-estadounidense. España no tenía ninguna razón real para hacer explotar el barco, considerando que EE. UU. aún no estaba involucrada en la guerra en ese momento; seguramente el ejército español habría sabido que atacar al *Maine* habría llevado a esta gran potencia del Nuevo Mundo a convertirse en un enemigo inmediato. Múltiples investigaciones se llevaron a cabo sobre los restos del *Maine* durante el siglo siguiente, algunas tan recientes como 2002, y la mayoría de ellas llegaron a la misma conclusión. Lo más probable es que el culpable fuera un incendio en un búnker de carbón que encendió las toneladas de pólvora que había en la bodega del barco. El hundimiento del *Maine* fue un trágico accidente, no un acto de guerra, y de no ser por el periodismo sensacionalista que hizo que los ciudadanos de EE. UU. exigieran sangre española, la guerra hispano-estadounidense podría nunca haber ocurrido.

De cualquier forma, el 10 de diciembre de 1898 se oficializó: Cuba era un país por sí solo, y ni España ni nadie más tenía derecho a reclamarlo.

Capítulo 8 – Se Producen Problemas

Comparado con la brutalidad de las guerras que acababa de capear, La Habana estaba a punto de entrar en una era de paz. Pero los problemas de la ciudad estaban lejos de terminar. La guerra abierta no volvería a ser declarada dentro de Cuba, pero la revuelta estaba en camino, un periodo de incertidumbre e inestabilidad mientras el país recién independizado intentaba crecer en su nuevo rol. Y la capital sufriría por ello, así como la mayoría de su gente.

Cuando las últimas tropas estadounidenses abandonaron Cuba en 1902, se eligió al primer presidente de la isla. Tomás Estrada Palma había nacido en Bayamo en 1835; se desconoce la fecha exacta en que esto ocurrió, ya que el ayuntamiento local se incendió, destruyendo sus registros de nacimiento, y se educó en La Habana, primero en la escuela privada de Toribio Hernández y luego en la Universidad de La Habana, donde se licenció en filosofía. Jugó un rol fundamental en las guerras por la independencia. Actuando como el presidente de la República de Cuba en Armas durante la guerra de los Diez Años, Estrada Palma también dirigió posteriormente al Partido Revolucionario Cubano. Trabajó estrechamente con los Estados Unidos desde el comienzo, un hecho que probablemente jugó un papel importante en la posterior participación de los Estados Unidos en la guerra de Independencia de Cuba.

Estrada Palma era una opción obvia para ser el primer presidente de Cuba. Su primer mandato fue tan exitoso que, en 1903, se colocó una estatua de él en la Avenida de los Presidentes en La Habana. Elevándose sobre las calles sobre un pedestal de piedra arenisca, la estatua dominaba la ciudad con una expresión de serenidad y sabiduría. Durante cuatro años, Estrada Palma brindó a La Habana un respiro de las continuas luchas y disputas que tanto habían plagado su historia por siglos. Fue un gobernante frugal que, enfrentando la abrumadora tarea de juntar las piezas de un país que había sido tanto tiempo arruinado por la guerra, mejoró gran parte de las comunicaciones, educación e infraestructura de Cuba.

Pero esto no duró. Estrada Palma pudo haber logrado un noble fin en Cuba, pero los medios por los que lo hizo no cayeron bien con su pueblo.

Los Estados Unidos no abandonaron Cuba sin tomar su libra de carne a cambio de su ayuda durante la guerra hispano-estadounidense. La Enmienda Platt, una lista de siete condiciones para la retirada de EE. UU. de Cuba al final de la guerra, le dio a los Estados Unidos un control significativo sobre la isla. Si bien esto reforzó el comercio con La Habana al convertirla en un destino turístico popular para los estadounidenses en vacaciones, se consideraba que Estrada Palma complacía demasiado a los estadounidenses. Los Estados Unidos arrendaron cantidades considerables de tierra en Cuba, incluyendo la totalidad de la bahía de Guantánamo, y el estado de la Isla de Los Pinos, una isla frente a la costa de Cuba, no fue cuestionado. Cuba dependía del dinero proveniente de los Estados Unidos durante este periodo frágil, pero su gente seguía aferrada a una nueva y frágil independencia, y no estaba contenta con nada que pareciera amenazarla.

Por esta razón, cuando Estrada Palma intentó extender su mandato en septiembre de 1905 amañando las elecciones, el pueblo respondió protestando en la única forma que conocía: organizaron una revuelta. En agosto de 1906, encabezada por el líder liberal José Miguel Gómez, la revuelta comenzó en serio. En respuesta, Estrada Palma se apresuró a reunirse con sus aliados en los Estados Unidos, sin saber que los liberales habían hecho exactamente lo mismo. Ambas partes esperaban que EE. UU. apoyara sus causas, y el presidente Theodore Roosevelt, aunque reacio al principio, envió a sus tropas algunas semanas después.

El secretario de Guerra William H. Taft y el Subsecretario de Estado Robert Bacon fueron enviados a Cuba para reunirse con los líderes e intentar limar las asperezas de ambas partes. Llegaron a La Habana el 19 de septiembre y casi inmediatamente aclararon su posición: no apoyarían la causa de Estrada Palma. Los estadounidenses tenían poco respeto por Estrada Palma debido a su intento de hacer trampa en las elecciones, por lo que su objetivo quedó claro: establecer nuevas elecciones más justas, que permitirían que el partido liberal ganara si el voto era a su favor.

Al ver que había sido abandonado por sus antiguos aliados, Estrada Palma no tenía salida. Presentó su renuncia el 28 de septiembre, y fue rápidamente reemplazado por el secretario Taft. Estableciéndose a sí mismo como el gobernador provisional de Cuba, Taft rápidamente se dispuso a intentar evitar una guerra civil total. La atmósfera en la ciudad estaba hirviendo, con los liberales listos para entrar y tomar el poder, y los partidarios de Estrada Palma furiosos por su desaparición. Taft sabía que había solo una forma de calmar las cosas, y era traer una presencia militar capaz de llevar a ambas partes hacia el olvido: el ejército de los Estados Unidos.

Los primeros soldados llegaron el 6 de octubre a bordo del *Sumner*. Estos eran los primeros hombres de una fuerza a la que más tarde Taft le daría el nombre de Ejército de Pacificación Cubana, y pacificar fue prácticamente todo lo que hicieron. La mera presencia del poderoso ejército fue suficiente para mantener las cosas muy calladas en Cuba. Nunca estalló ninguna lucha real; en cambio, se construyeron caminos, se mantuvo la paz, y el entrenamiento y la disciplina de los soldados cubanos incluso fue mejorada.

Poco más de un año después de la renuncia de Estrada Palma, Charles Edward Magoon asumió el cargo de Taft como gobernador de Cuba. Bajo su severo gobierno, La Habana y el resto del país permanecieron muy tranquilos, y en 1908 consideró que la situación estaba lo suficientemente tranquila para que se llevaran a cabo elecciones presidenciales. El 14 de noviembre de 1908, el partido liberal ganó las elecciones con facilidad.

Gómez asumió en 1909. Estrada Palma no vivió para ver a su oponente tomar el cargo por el cual luchó. En noviembre de 1908, murió a la edad de setenta y tres. Su estatua permanecería en La Habana hasta la Revolución Cubana de 1959, cuando los revolucionarios la derribaron. Solo el pedestal y los pies de Estrada Palma permanecen como una silenciosa advertencia a los presidentes sentados en La Habana: nada más que la independencia total servirá para el pueblo cubano.

Sin embargo, la tendencia de La Habana a estar en problemas estaba lejos de terminar. La esclavitud solo había sido abolida durante el último medio siglo, y la cicatriz de ese insulto a la raza humana todavía era cruda y lívida para los afrocubanos. Ya no eran comprados y vendidos como propiedad, pero seguían siendo considerados como inferiores a los blancos y mulatos (mestizos), y las condiciones para vivir y trabajar en Cuba a menudo eran muy pobres. La mayoría de los afrocubanos todavía eran empleados en las plantaciones de caña de azúcar donde habían estado esclavizados durante tanto tiempo, y si bien se les pagaba por su trabajo, seguía siendo difícil, peligroso y duro durante largas horas.

En 1908, viendo su oportunidad en las elecciones nuevas y libres bajo la estricta supervisión del ejército de EE. UU., los afrocubanos organizaron un partido político. Encabezado por Evaristo Estenoz, participaron en las elecciones. Si bien los liberales igualmente ganaron, Gómez inmediatamente consideró a este partido, el Partido Independiente de Color o el PIC, como una amenaza. Su oposición cada vez más se inclinó hacia apoyar al PIC, y los afrocubanos por toda la isla se sintieron atraídos por sus ideas y motivaciones. Torciendo la ley a su gusto, Gómez hizo disolver el partido basándose en la Ley Morúa, que indicaba que no se permitía la formación de partidos políticos basados en la raza.

Sin embargo, el PIC no permanecería abajo por mucho tiempo. Para 1912, se habían reagrupado en una fuerza y una cantidad intimidantes. Liderados por Estenoz, sabían que a estas alturas no podían lograr su objetivo por la vía política, así que como tantos grupos habían hecho antes que ellos, y harían después de ellos, el PIC optó por la violencia.

En una revuelta a gran escala, que más tarde se conocería como la Rebelión Negra, los afrocubanos de toda la isla se levantaron contra los dueños de las plantaciones donde habían trabajado por generaciones. La Habana no se vio muy afectada por la violencia, pero la población de Cuba claramente sí. La masacre generalizada de afrocubanos, tanto de aquellos involucrados en la rebelión como aquellos que no; el gobierno solo discernía por el color de piel y no por la intención, comenzó en serio cuando Estenoz se enfrentó al ejército cubano el 20 de mayo de 1912, y continuaría hasta que la última chispa de rebelión fuera total y decididamente apagada.

Una vez más, con disturbios surgiendo por todo el país, Gómez recurrió a sus amigotes estadounidenses en busca de ayuda, y contactó al antiguo gobernador provisional de Cuba, William H. Taft. Para proteger las plantaciones de azúcar que pertenecían o que eran arrendadas por los Estados Unidos, EE. UU., estuvo de acuerdo. Sin afrocubanos mansos y mal pagados para trabajar en las plantaciones de azúcar; las ganancias estadounidenses sufrirían, por lo que era en el mejor interés financiero de EE. UU. apoyar la postura intransigente del gobierno cubano.

Las primeras tropas llegaron el 28 de mayo, poco más de una semana después de que comenzara la violencia. EE. UU. todavía estaba en un estado de segregación racial en este punto de la historia, por lo que sofocar el levantamiento negro no era nada nuevo para los soldados. Si bien la mayoría de la carnicería fue hecha por el ejército cubano, el ejército estadounidense apoyó cuando fue necesario.

Se estima que entre 3000 y 6000 afrocubanos murieron durante la llamada Rebelión Negra. Uno de ellos fue Estenoz, el líder del ataque, quien recibió un disparo en la nuca por parte de fuerzas gubernamentales el 27 de junio. Con su líder muerto, el PIC se dispersó en pequeñas facciones que fueron fácilmente aniquiladas por el poder del gobierno y el ejército estadounidense. Para mediados de julio, el PIC fue destruido, la moral de cada afrocubano en la isla se hizo añicos, y el partido liberal siguió gobernando sin oposición.

Sin embargo, la supremacía de Gómez duraría poco tiempo. Pese a su popularidad con el pueblo, es decir, el pueblo no afrocubano, su partido perdió las siguientes elecciones, y en 1913, Mario García Menocal se convirtió en presidente de Cuba. Menocal, líder del partido conservador, como muchos antes que él, logró cumplir un primer mandato tranquilo y pacífico. Había sido educado en los Estados Unidos cuando era un adolescente y un adulto joven, y su alianza con el poderoso vecino cubano solo se hizo más fuerte cuando asumió el cargo.

Menocal solo llevaba poco más de un año en el cargo cuando, el 28 de junio de 1914, al otro lado del mundo, un yugoslavo llamado Gavrilo Princip se paró en las calles de Sarajevo y puso una bala en el cerebro de un archiduque austriaco. La tensión latente que había envuelto a Europa estalló en una guerra total. Menocal se encontró gobernando un país en un mundo que estaba en guerra, pero en el punto medio del conflicto más grande y devastador que el mundo había visto, Cuba estaba nuevamente en guerra consigo misma.

En 1916, Menocal fue reelecto. Como todos los intentos de un presidente cubano de permanecer en el poder por más de cuatro años, la reelección fue vista con violencia e ira. Los disturbios estallaron en La Habana y en toda Cuba cuando los liberales protestaron porque según ellos, las elecciones habían sido amañadas. Sin embargo, otra insurgencia rebelde surgió de las plantaciones. Como era el patrón, una vez más el líder cubano se apresuró a acudir a los Estados Unidos en busca de apoyo.

Recién a finales de 1917, después de que Cuba se uniera a la Primera Guerra Mundial del lado aliado, que el Tío Sam enviaría tropas a Cuba; EE. UU. tenía las manos un poco ocupadas luchando en una guerra mundial. Sin embargo, las ganancias de la industria azucarera en cuba eran esenciales para la estabilidad económica de EE. UU. durante una época de conflicto global. Por esa razón, los marines estadounidenses fueron enviados nuevamente para calmar al pequeño y ruidoso vecino de los Estados Unidos.

Esta acción militar, actualmente conocida como la Intervención del Azúcar, funcionó. En 1918, Cuba produjo una cantidad récord de azúcar. Los aliados ganaron la Primera Guerra Mundial, y una incómoda paz fue restaurada en Cuba y en el mundo.

Pero al igual que en Europa, la paz no duraría mucho en Cuba. Había aún más problemas en el horizonte. Sin embargo, a medida que el peligro se gestaba en el Oriente, La Habana entraría en una era de glamour y prosperidad inimaginables, una época en la que nuevamente volvería a conocerse como el París del Nuevo Mundo.

Capítulo 9 – La Gran Vida de La Habana

El puerto de La Habana hoy, con el Malecón

Después de que el último de los soldados estadounidenses regresara a casa en 1902, La Habana entró en una era de prosperidad. A pesar de las pasadas décadas de agitación y guerra, el pueblo cubano se recuperó y también su economía. La Habana comenzó a crecer aún más en población, tamaño e importancia.

Ya en 1901, La Habana ya podía permitirse construir una nueva biblioteca. Dedicada a un escritor y héroe de la guerra de Independencia de Cuba, la Biblioteca Nacional José Martí sigue abierta en la actualidad. Fue la primera de muchos edificios e instituciones que serían construidas a inicios del siglo 20 y que perduran hasta nuestros días, incluyendo el Malecón de cinco millas de largo (un malecón y una explanada), el Hotel Sevilla, el edificio de la Lonja del Comercio (que fue una vez una bolsa de valores y ahora es un edificio de oficinas, y el Museo Nacional de Bellas Artes de La Habana. Palacios, iglesias, teatros, oficinas, hoteles y edificios cívicos brotaron por toda La Habana en una profusión de altísimos arcos. Los magnates cubanos y la creciente clase media exigían mansiones; estas fueron construidas en gran número para acomodar a aquellos que se beneficiaban tan enormemente de la nueva riqueza de Cuba. Ahora, finalmente como la capital de un país independiente, La Habana celebraba su nueva importancia convirtiéndose en un centro asombrosamente hermoso de cultura y comercio.

Más de una persona compararía la belleza de La Habana con la de Venecia y París. Y en respuesta a la nueva majestuosidad de la liberada ciudad, los ricos y famosos comenzaron a acudir en masa a este pedazo de paraíso en medio del Caribe tropical. La Habana rivalizaba con Miami en términos de su industria turística. Los turistas estadounidenses eran particularmente comunes, viniendo a esta ciudad repentinamente sexy para apostar, ver teatro, fumar cigarros cubanos, y caminar por las calles con su encantadora arquitectura y llamativos habitantes. La ciudad ahora tenía 360.000 habitantes y seguía creciendo, excluyendo las oleadas de turistas que acudían en masa a sus lujosos casinos, elegantes hoteles y llamativos teatros. La Habana tenía más cines que París, y ganaba más dinero con las apuestas que Las Vegas; mafiosos y estrellas se mezclaban libremente bajo sus luces brillantes. Cualquiera con suficiente dinero para pasar un buen rato era bienvenido.

No solo los turistas venían a La Habana. Las oportunidades que la ciudad brindaba atraían inmigrantes de todo el mundo. Irónicamente, la misma nación que tanto había oprimido a Cuba hasta pocos años antes, España, era el país del cual la mayoría de la gente venía a Cuba. Se arrastraron de regreso a la ciudad que casi destruyeron, incapaces de resistir su atractivo, en tal número que hoy un cuarto de los cubanos desciende de inmigrantes españoles.

Algunas de las personas más famosas que visitaron La Habana fueron Frank Sinatra y Ernest Hemingway. Este último, uno de los autores más famosos del siglo veinte y ganador del premio Nobel de Literatura, pasó veintidós años en Cuba. Se mudó allí en 1939, permaneciendo primero en el hotel Ambos Mundos, y luego alquilando una hermosa finca conocida como Finca Vigía a pocas millas de La Habana. Inspirado por la gente, por sus numerosos romances, y por el encanto de la ciudad que calificó como la tercera más bella del mundo, la escritura de Hemingway tomó vuelo en la capital de Cuba. Fue en La Habana donde escribiría algunas de sus obras más conocidas, incluyendo *Por quién Doblan las Campanas, El Viejo y el Mar, El Jardín del Edén, Al Romper el Alba* e *Islas en la Corriente.* Estas tres últimas fueron dejadas en una caja fuerte en La Habana por años cuando la vida de Hemingway comenzó su lento y trágico declive hacia el suicidio. Su estatua todavía puede ser vista en el bar El Floridita en La Habana.

Los problemas de salud de Hemingway en sus últimos años se atribuyeron tanto a la hemocromatosis, una condición genética relacionada al metabolismo del hierro, como a su consumo excesivo de alcohol. Y considerando que vivir la buena vida lo llevó a su muerte prematura, no es de sorprenderse que escogiera vivir en La Habana por dos décadas. La ciudad estaba repleta de lugares de entretenimiento, algunos tan inocentes como los teatros, y otros descendiendo en el plano moral pasando por bares y casinos y finalmente a establecimientos aún menos respetables.

La ajetreada industria de los casinos no pasó desapercibida para los jefes del crimen organizado. Pronto, comenzaron a hundir sus insidiosas garras en la ciudad, apoderándose de las ruedas de la ruleta, casinos y hoteles completos. Estos glamorosos jefes de la mafia sonreían bajo las luces de la ciudad incluso mientras controlaban su oscuro vientre, organizando la prostitución y otras actividades ilegales. Uno de los más importantes fue Lucky Luciano.

Nacido como Salvatore Luciana, el "padre del crimen organizado moderno en los Estados Unidos" era un italiano extravagantemente apuesto quien fue reclutado por el crimen organizado cuando solo tenía veintitrés años. A la edad de cuarenta y nueve, Luciano era el jefe de la moderna familia criminal Genovese. Ayudó a establecer el órgano rector de la mafia estadounidense y desempeñó un rol importante en establecer el Sindicato Nacional del Crimen. Era un hombre afable, educado y bien hablado, cuya buena apariencia solo era igualada por su despiadada astucia. Su expresión mientras miraba a la cámara para su primera foto policial en 1931 lo dice todo: una ceja arqueada y la boca torcida como si tratara de ahogar una mueca. Era como si Lucky Luciano no estuviera preocupado por ir a la cárcel. Lucky Luciano sabía que era solo cuestión de tiempo antes de que ganara, porque ganar era todo lo que hacía.

Durante la década de 1930, Luciano tomó el control del Hotel Nacional Casino en La Habana. En 1946, elegiría celebrar allí la Conferencia de La Habana, una reunión de actores del crimen organizado a una escala sin precedentes, reuniendo a la mafia siciliana y a la estadounidense para discutir su "negocio" secreto. La conferencia fue idea de Luciano y quizás por una buena razón; acababa de regresar del exilio. Para dar perspectiva a la riqueza de los jefes del crimen en esa época, considere este número: para celebrar el retorno de Luciano, cada uno de los asistentes a la conferencia le llevó como regalo un sobre con dinero en efectivo. Estos tenían una cantidad combinada de más de $200.000.

De hecho, no se reparó en gastos. La pantalla detrás de la cual se escondió la Conferencia de La Habana fue una fiesta de gala con Frank Sinatra como entretenimiento. Solo la parte de Frank Sinatra era cierta. La belleza de ojos azules estaba allí para dar una serenata a los señores del mundo del crimen, pero la reunión fue mucho más que solo una fiesta. Los asistentes discutieron muchos aspectos de su "trabajo", incluyendo el ajetreado comercio de narcóticos en el que todos estaban involucrados.

En el exterior, la Conferencia de La Habana parecía ser solo eso: una reunión de refinados hombres de negocios en un entorno glamoroso. Pero la oscuridad de su real propósito fue evidente en lo que ocurrió a puertas cerradas. A pesar de su buena apariencia y sus suaves gestos, el salvajismo de Lucky Luciano se mostró cuando otro miembro de la familia criminal Genovese lo siguió de regreso a su habitación de hotel para exigir que Luciano se retirara y entregara el liderazgo de la familia criminal. En respuesta, Luciano se enfureció y golpeó al otro hombre con tanta fuerza que le fracturó tres costillas.

La suerte de Luciano recién se acabó en 1962. Aun viviendo como un hombre libre, sufrió un ataque al corazón en el aeropuerto internacional de Nápoles, donde esperaba reunirse con un productor que estuvo de acuerdo en realizar una película sobre su vida. Riqueza, fama, importancia, Luciano lo tuvo todo, excepto quizás cualquier forma de norma moral.

Pero no todos los actores del crimen organizado tendrían tanta suerte. La mayoría siguió el camino de Alberto Yarini, protagonista de innumerables obras de teatro y películas. Yarini se había convertido en un símbolo de La Habana prerrevolucionaria. Nacido en el seno de una familia adinerada, se convirtió en el más famoso proxeneta y mafioso de La Habana; sin inmutarse por la guerra de Independencia de Cuba, continuó con su sórdido negocio con el típico estilo y elegancia. Yarini se convirtió en una especie de héroe perverso, un símbolo de la resistencia de un pueblo que pasó décadas luchando por la independencia en la que tanto creían.

Irónicamente, Yarini no viviría lo suficiente para disfrutar mucho de esto. Sus oscuros actos lo alcanzaron en 1910, cuando fue asesinado a tiros en las calles de La Habana en un tiroteo con un proxeneta rival. Desde entonces, comenzando con la obra de teatro musical *Réquiem por Yarini* en 1960, y continuando en la actualidad con una nueva película acertadamente titulada como *El Príncipe de La Habana Vieja*, Yarini dejó un legado de fama y nostalgia por la forma en que La Habana fue alguna vez. Era violenta, estaba involucrada hasta las rodillas en el crimen organizado, e ignoraba extravagantemente las reglas, pero al menos había una forma de libertad.

Sin embargo, los señores del crimen no eran los únicos poderes que se reunían en La Habana. Mientras los jefes de la mafia cooperaban en términos de violar la ley, reuniones mucho más respetables se estaban llevando a cabo por toda América para establecer la Unión Panamericana. Ya en 1823, el presidente James Monroe declaró en su Doctrina Monroe que cualquier nación europea que intentara conquistar cualquier otra parte de América encontraría una enérgica resistencia. Un siglo después, este discurso inspiraría al Secretario de Estado James G. Blaine a intentar unir a los diversos países de América del Norte, Central y del Sur con el fin de mejorar las relaciones comerciales. En 1888 el New York Evening Post acuñó el término panamericanismo, el movimiento hacia la cooperación a lo largo de América. Un año después, se celebró la primera Conferencia Panamericana en Washington D.C.

Estas conferencias traerían paz y buen comercio en todos los estados libres del hemisferio occidental, y fueron importantes para la economía y prosperidad de todos los países de América. Y una de las más importantes de estas conferencias se celebró en La Habana.

La ciudad se grabó en las páginas de la historia como un puerto crucial para el comercio internacional. Incluso ahora, cientos de años después de sus inicios como un pequeño puerto mal defendido, y luego como poco más que un lugar de reunión para la Flota del

Tesoro española, La Habana seguía siendo la Llave del Nuevo Mundo. Era un componente esencial del comercio tanto legal como ilegal, un terreno de juego para los ricos, y un elemento clave del negocio para la gente seria.

Pero La Habana solo era hermosa en la cima. El brillo y el glamour de la floreciente vida nocturna escondían la oscuridad de una ciudad que estaba hasta las rodillas en el sufrimiento que trae consigo la prostitución y el abuso de drogas. Los narcóticos eran casi tan baratos y fáciles de obtener como el alcohol; el costo sufrido por la sociedad fue enorme. La clase media prosperaba; la clase trabajadora se moría lentamente de hambre bajo las luces de la ciudad.

La policía estaba casi totalmente ausente en hacer algo para controlar el crimen desenfrenado. Eran sobornados con demasiada facilidad para que hicieran la vista gorda, y era difícil culparlos, considerando que la corrupción llegaba hasta lo más alto del gobierno cubano. La mafia no era la única organización que se beneficiaba de la lucrativa vida nocturna de La Habana. El presidente Fulgencio Batista también estaba involucrado.

Capítulo 10 – Otra Revolución

Mientras los jefes del crimen y las superestrellas bebían, bailaban y apostaban en los nuevos y relucientes edificios de La Habana, seguía habiendo problemas, y no solo en el inframundo criminal.

Tras obtener oficialmente la independencia de los Estados Unidos en mayo de 1902. Cuba fue arrastrado a un turbulento período en términos de su gobierno. Los golpes de estado y las revueltas eran comunes. Cuba era inestable y volátil, con líder rebelde tras líder rebelde levantándose para declarar sus ideales de paz y justicia, solo para convertirse en un dictador aún peor que el primero

En 1933, una de esas revueltas fue liderada por un joven llamado Fulgencio Batista. Habiendo abandonado su casa a los catorce años, Batista se valió por sus propios medios; había comenzado su vida laboral en la adolescencia trabajando como obrero en campos, muelles y ferrocarriles antes de alistarse en el ejército en abril de 1921.

La revuelta de los sargentos de 1933 comenzó como un intento de los sargentos por mejorar las condiciones de los soldados, pero Batista no era más que ambicioso. Sirviendo como sargento taquígrafo en ese momento, presionó por más: un cambio de régimen en Cuba en ese momento. La Gran Depresión de 1929 había hecho que la situación social y económica en Cuba se descontrolara aún más. La gente estaba profundamente descontenta, forzando a la renuncia del presidente Gerardo Machado, y el momento era el adecuado para otro cambio. Carlos Manuel de Céspedes y Quesada reemplazó a Machado en un gobierno provisional que solo tenía un leve control sobre su rebelde nación. El 3 de septiembre de 1933, un grupo de soldados del cuartel Columbia tomó el asunto en sus propias manos. Hubo una reunión en el teatro, y Batista subió al escenario con un discurso entusiasta que ordenó a los discursos a "no obedecer las órdenes de nadie más que las mías".

Los rebeldes tenían poca oposición en La Habana en ese momento. Considerando que controlaban la mayoría del ejército, y tenían el apoyo de gran parte de sus ciudadanos, los políticos que se oponían a ellos se veían obligados a observar cómo les arrancaban el gobierno de sus narices. El presidente Céspedes, quien había estado ausente para inspeccionar los daños causados por un huracán en otro lugar de Cuba en ese momento, regresó a su capital el 5 de octubre solo para descubrir que un nuevo gobierno se había instalado. Presa del pánico, Céspedes huyó de La Habana.

Pronto, Batista y los demás ascendieron a Ramón Grau a presidente. Aquellos miembros del ejército que no eran parte de la revolución huyeron al Hotel Nacional, el lugar donde Lucky Luciano celebraría su conferencia de jefes criminales algunos años después, para esperar un regreso al poder. Sus esperanzas serían en vano, el 2 de octubre, comenzó la batalla del Hotel Nacional, y los oficiales quedaron atrapados y abrumados en el regazo del lujo. Solo un puñado de oficiales murieron en la batalla, pero una vez que se rindieron, los rebeldes asesinaron a muchos más a sangre fría.

Así comenzó el ascenso de Batista al poder. Si bien solo se convertiría en presidente en 1940, Cuba se vio gobernada por títeres, y era obvio que Batista tenía el control de sus hilos. Cuando finalmente fue electo presidente en 1940, la gente lo vio como otro héroe, otro líder revolucionario que creían que traería paz y prosperidad.

Pero no iba a ser así.

La primera presidencia de Batista fue relativamente pacífica. Como el primer cubano no blanco en ser presidente, Batista implementó una nueva constitución y apoyó incondicionalmente a los Estados Unidos cuando EE. UU. declaró la guerra a Japón después de Pearl Harbor. Cuando su mandato terminó en 1944, el primer indicio de problemas había mostrado su lado oscuro. El sucesor de Batista fue derrotado por Ramón Grau San Martín, y como respuesta, Batista pasó sus últimos meses en la presidencia vaciando las arcas cubanas para hacer las cosas lo más difícil posible a Grau y a su partido. Acosado por su conciencia culpable, apenas Grau asumió el cargo de presidente, Batista se mudó a los Estados Unidos.

Sin embargo, no se mantuvo alejado por mucho tiempo. Para 1948, Batista no solo estaba de regreso, estaba fastidiando al presidente Grau que le permitiera postularse para presidente en las próximas elecciones de 1952. Pero había perdido popularidad a ojos de un pueblo al que se le había prometido algo mejor. Poco se hizo para mejorar el nivel de vida del cubano promedio. La industria del turismo en La Habana continuaba floreciendo, pero debajo de los letreros de neón que promocionaban su placer, los cubanos comunes vivían en barrios marginales. Cuando se llevaron a cabo las primeras elecciones, el partido de Batista se ubicó en un pobre tercer lugar sin posibilidades de ganar por medios justos.

Para que no se le negara lo que quería, Batista recurrió a la única forma que realmente conocía para llegar al poder: la fuerza. Tres meses antes de las elecciones, en marzo de 1952, recibió el apoyo del ejército y dio un golpe de estado. Derrocando al actual presidente, Batista procedió a establecerse nuevamente en su posición como presidente, y esta vez permitió que su tiranía gobernara completamente.

Bajo el corrupto gobierno de Batista, la industria de los casinos de La Habana prosperó absolutamente, y por una buena razón. El gobierno de Batista ayudó a financiar la construcción de casinos, además otorgó exenciones tributarias y eliminó aranceles sobre bienes importados para su uso en casinos y clubes nocturnos. Lejos de trabajar para deshacerse del crimen organizado, Batista hizo alianzas con él. Su gobierno obtenía un porcentaje de las ganancias de hoteles, casinos y clubes nocturnos; formó una estrecha amistad con el jefe de la mafia Meyer Lansky, tan cercana de hecho, que Lansky llenó las cuentas bancarias suizas de Batista con millones de dólares.

Batista no era una excepción a los lujos que estaban tan disponibles en La Habana. Se involucró con apuestas, mujeres, y las más finas delicias que podía obtener o importar mientras alrededor de él las prostitutas y los drogadictos morían en las calles, y los pobres intentaban escapar en los suburbios *bohíos*. Quizás estos pobres voltearon sus rostros hacia sus antiguos aliados, los Estados Unidos, quienes los habían salvado de España y quizás podrían salvarlos de Cuba esta vez. Pero EE. UU. estaba notoriamente ausente. Enterrado en la Guerra Fría, los EE. UU. apoyaba completamente a Batista siempre que llenara sus bolsillos, lo que hizo. Habiendo despojado completamente a su país de su economía, Batista recurrió a EE. UU. para que invirtieran en Cuba, e invertir fue lo que hicieron. Durante su mandato, EE. UU. poseía el 70% de la tierra cultivable de Cuba. Poco quedaba para la gente.

Y la gente lo sabía. Mientras Batista continuaba saqueando el país para su placer, la gente comenzó a mostrar su descontento. En respuesta, de la misma manera en que España lo había hecho menos de cien años atrás, Batista simplemente tomó medidas drásticas. Silenció los medios de comunicación y envió a su policía secreta a asesinar, torturar e intimidar a todos quienes se atrevieran a expresarse contra su administración.

Finalmente, EE. UU. recobró el sentido y comenzó a evitar a Cuba. Posteriormente, el presidente John F. Kennedy, fue particularmente expresivo en sus críticas a la administración de Batista y a la alianza de EE. UU. con él, llegando incluso a llamarlo "la encarnación de los pecados [de Estados Unidos]".

En palabras del crítico social estadounidense Arthur M. Schlesinger, la Cuba de Batista fue "una invitación abierta a la revolución". Y una vez más, habría una revolución, esta vez liderada por un joven y furioso hombre llamado Fidel Castro.

Fidel Castro era un hombre enojado. Nacido fuera del matrimonio en 1926, la sociedad lo arrastraba a todos lados desde que tenía memoria, primero fue enviado a vivir con su profesor, luego fue metido en internados, y posteriormente en la Universidad de La Habana. Causaba problemas dondequiera que fuera, primero simplemente como un niño difícil, y luego como un gangsterismo violento en la universidad, donde estudió derecho. Fue en su tiempo en la Universidad de La Habana cuando Castro finalmente encontró una dirección para su rabia. Viniendo de un entorno agrícola bastante pobre, estaba indignado por la cantidad de tierra que era usada por los Estados Unidos mientras los cubanos se morían de hambre mientras Batista hacía la vista gorda. Estaba decidido: EE. UU. era el enemigo. A medida que su carrera política continuaba, Castro se fue inclinando cada vez más hacia la izquierda. Finalmente, concluyó que el estado en el que se encontraba su país no era simplemente por la corrupción del gobierno. Sentía que era un síntoma del sistema capitalista, y que el comunismo sería la única forma en que realmente funcionaría.

Castro llegó a los titulares por primera vez en 1946 con un apasionado discurso acerca de la corrupción y la violencia del gobierno del presidente Grau. Fue carismático desde el inicio, y la gente lo amaba; pero a medida que crecía y se hacía más importante, habiéndose unido al Partido del Pueblo Cubana, lideraba protestas estudiantiles por toda La Habana, estableciendo una asociación legal para ayudar a los pobres, y finalmente compitiendo para la Cámara de Diputados con el apoyo de las regiones más pobres de La Habana, fue encontrando cada vez más oposición. Incluso su matrimonio con Mirta Díaz Balart fue desaprobado por su acaudalada familia. Fue golpeado brutalmente en algunas de sus protestas estudiantiles, arrestado en otras, y todo esto solo fue combustible para el fuego de Castro.

La gota que colmó el vaso llegó cuando se predijo que al partido de castro le iría bien en las elecciones de 1952, solo para ser canceladas cuando Batista tomó el poder. Ya era suficiente. Castro estaba decidido a derrocar al cruel gobierno que tenía al pueblo cubano una vez más bajo el implacable pulgar de la opresión, y estaba dispuesto a usar todos los medios necesarios. Comenzó pidiendo el derrocamiento de Batista, pero el dictador tenía a su país demasiado firme entre sus heladas garras como para que nada saliera de aquello. Los medios legales no iban a lograr la visión de Castro de una Cuba justa. No era la intención original de Castro tomar Cuba de manera violenta, pero si la violencia era necesaria, que así fuera.

La revolución comenzó en 1953. Castro lideró a un pequeño grupo de trabajadores agrícolas y otros partidarios a atacar los cuarteles en Santiago y Bayamo; el ataque finalmente fue un fracaso, y la mayoría de los revolucionarios murieron o fueron capturados. Fue durante su juicio tras estos ataques que Castro dio su apasionado discurso de "la historia me absolverá", que duró cuatro horas, criticó al gobierno de Batista, y finalmente se ganó el corazón de la gente, pero no el juicio. Fue sentenciado a quince años de cárcel. Debido a la presión política, fue liberado solo dos años más tarde y huyó a México. Sin embargo, no se quedaría escondido allí por mucho tiempo. Allí recibió más entrenamiento y reclutó a otros exiliados para hacer un segundo intento de tomar Cuba.

A finales de 1956, el segundo ataque a Cuba fue hecho con un yate lleno de ochenta y dos hombres. Fue un desastre absoluto. Solo tres días después de arribar y de dirigirse hacia las montañas de la Sierra

Maestra, los hombres de Batista los encontraron, y la gran mayoría de los hombres fueron asesinados. Los sobrevivientes, incluyendo a Castro, deambularon, perdidos, en la vasta inmensidad; los revolucionarios estaban dispersos y heridos, pero su líder aún no se rendía. Lenta y dolorosamente, asistido por campesinos simpatizantes que lo encontraron deambulando en las montañas, Castro comenzó a rearmar su ejército. No lo sabía aún, pero el éxito estaba a la vuelta de la esquina.

En La Habana, el primer indicio de verdaderos problemas llegó en marzo de 1957, encabezado por un estudiante de veinticinco años llamado José Antonio Echeverría cuyo rostro agradablemente redondo le había dado el sobrenombre de "Manzanita". Cándido y dulce como lo era su rostro, Echeverría fue el fundador y líder del Directorio Revolucionario Estudiantil (DRE), una organización militante separada del grupo de Castro, pero igualmente decidida a derrocar al corrupto gobierno de Batista y ganar la libertad para el pueblo cubano.

Su plan era simple: un grupo de hombres asaltaría el Palacio Presidencial y asesinaría a Batista. El otro se dirigiría a Radio Reloj, una estación cercana de radio de veinticuatro horas, donde Echeverría se apoderaría de la estación y transmitiría la noticia de la muerte de Batista, animando a la gente a levantarse y recuperar lo que por derecho les pertenecía. Y el plan casi funciona.

Era por la tarde cuando dos autos y un camión de reparto se dirigieron al Palacio Presidencial. Derraparon hasta detenerse frente a los hermosos arcos blancos del palacio, y antes de que los guardias de la entrada pudieran reaccionar, los revolucionarios se amontonaron, armados hasta los dientes. Los disparos destrozaron el habitual murmullo de una tarde en La Habana. Los guardias cayeron, la sangre salpicó los prístinos muros del palacio, y los revolucionarios atravesaron las puertas.

Por un truco del destino, Batista no estaba por ningún lado. Los revolucionarios se detuvieron confundidos en el primer piso, desplazándose sin rumbo fijo en el frágil silencio. Inesperadamente había subido al tercer piso, donde se ubicaban sus cuartos residenciales. Sin ascensor para subir allí, los revolucionarios estaban atrapados. No solo atrapados, sino atrapados como ratas en un barril. Cuando una oleada de guardias y policías inundó el Palacio Presidencial, los revolucionarios no tuvieron ninguna posibilidad. El baño de sangre que siguió duró varias horas y empapó de sangre las paredes y los pisos relucientes. Muchas personas murieron ese día, pero Batista no fue una de ellas.

Mientras tanto, el resto de la DRE había logrado capturar Radio Reloj. Echeverría sabía que tenía solo tres minutos, solo 180 segundos, para inspirar a una nación oprimida. Tomó el micrófono y recitó su discurso tan rápido como pudo. Las palabras del discurso se han perdido desde entonces, pero solo algunas de ellas se emitieron; el micrófono se cortó durante los primeros segundos. Sin embargo, algunas de ellas llegaron al resto del mundo. Ellas decían "Batista está muerto".

Batista no estaba muerto. Minutos más tarde, a medida que Echeverría bajaba apresuradamente hacia su auto, cuando cargaba hacia el palacio presidencial para unirse a sus compañeros, mientras impactaba un vehículo policial y se unía al tiroteo, una bala tumbó su cuerpo a la sucia acera... Batista no estaba muerto, pero minutos después, el joven y valiente rebelde sí.

Capítulo 11 – La Victoria de Castro

El ataque del DRE al Palacio Presidencial no solo fue un completo fracaso, sino que también empeoró las cosas en La Habana, en respuesta al ataque, la policía cubana lanzó una ola de persecución y violencia como nunca antes La Habana había visto. El DRE fue prácticamente borrado de la faz de la tierra; otras partes fueron torturadas y ejecutadas sin juicio, y algunos de los escuadrones policiales actuaron completamente por su propia voluntad. Batista no hizo ningún intento por detenerlos.

Su reinado de terror no duraría para siempre. A pesar de que el DRE falló, los hombres de Castro estaban gradualmente recuperando sus fuerzas.

Entre los sobrevivientes esparcidos por la Sierra Maestra se encontraban Fidel Castro, su hermano Raúl, y un joven moreno y apuesto revolucionario argentino llamado Ernesto Guevara. Mejor conocido por su apodo de "Che", había pasado su vida provocando problemas y revoluciones dondequiera que fuera, pero era ferozmente inteligente y estaba absolutamente dedicado a su causa. Estas cualidades pronto lo promovieron a segundo al mando de las fuerzas de Castro.

Quizás "fuerzas" sería una palabra demasiado grande. Solo diecinueve de los hombres que habían llegado en el yate *Granma* habían sobrevivido; se les había despojado de prácticamente todo lo que habían traído, incluidas sus armas y municiones. Este era el punto en que el líder de casi todas las anteriores revoluciones que habían tenido lugar en la historia de Cuba se había rendido o había acudido a EE. UU. en busca de ayuda. Pero Fidel Castro no. En cambio, con el poco armamento que tenían, su pequeño grupo de rebeldes comenzó a asaltar pequeños puestos del ejército en las montañas. Saquearon todos los puestos de sus recursos y los llevaron a su campamento secreto. Tratando de mostrar su corazón por el pueblo, Castro curaría las heridas de todos los soldados enemigos que caían durante estos ataques; pero sus comandantes a menudo eran ejecutados, especialmente si se sospechaba que habían matado a alguno de los hombres de Castro.

Los comandantes del ejército en la Sierra Maestra a menudo eran muy impopulares entre los lugareños. El trato de Castro hacia ellos lo hizo cada vez más popular a sus ojos, y pronto comenzaron a unirse a su ejército. También comenzaron a venir de las ciudades voluntarios que creían en su causa, y para 1957, Castro estaba al mando de unos doscientos hombres. Los dividió en tres fuerzas separadas: una dirigida por él mismo, otra por su hermano, y otra por el Che Guevara.

Pequeña guarnición por pequeña guarnición, su pequeño ejército comenzó a superar a las fuerzas de Batista en las montañas, apoyado por cualquiera que se atreviera a unirse a ellos. Pronto, toda la cordillera estaba bajo el control de Castro. Su ejército era tan pequeño que nadie lo tomaba en serio, a veces contaba solo con doscientos o trescientos hombres, pero de alguna manera, continuaron ganando terreno, derrotando repetidamente a fuerzas que los superaban varias veces en número. Los rebeldes luchaban con una pasión que el autocomplaciente ejército gubernamental no podía igualar. A pesar de una derrota devastadora en la batalla de Las

Mercedes, las fuerzas de Castro continuaron creciendo en tamaño e impulso.

Para 1958, pueblos y provincias enteras caían ante las imparables oleadas del ejército de Castro. Se movía en línea recta, abriéndose camino a través de ejército tras ejército, dirigiéndose directamente hacia la ciudad más importante de Cuba: La Habana.

El día de Año Nuevo de 1959 fue un día inusual. Las entusiastas celebraciones que siempre habían tenido lugar en los lujosos clubes nocturnos y cabarets de La Habana en víspera de Año Nuevo habían faltado este año debido a la guerra, el terror y la tortura; en cambio, cenas silenciosas e inciertas se habían comido rápidamente en solitario o con un grupo de familiares. Una huelga general ya llevaba tres días, convocada por el carismático Castro, y nadie estaba trabajando. El agua potable se había detenido en La Habana. Las calles estaban vacías en la anticipación silenciosa y sombría de lo que traería el día siguiente.

Se habían lanzado miradas aterrorizadoras a través de la mesa mientras los miembros se preguntaban que traería mañana y el siguiente año. En ese momento casi todos en La Habana habían perdido a un amigo o familiar a causa de la cruel administración de Batista. No se hablaba de metas, resoluciones o planes para el año nuevo. No había fuegos artificiales ni buenos vinos. En cambio, solo estaba la terrible pregunta que se cernía sobre cada cabeza como una amenazante nube negra: ¿quién sería el próximo? ¿Quién sería la siguiente persona al ser arrastrada a prisión sin ninguna razón que pudieran averiguar? ¿Quién sería el próximo en ser torturado? ¿Quién sería el próximo en morir?

La Habana se fue a dormir esa noche con el corazón roto y asustado entre toda su fineza. Pero cuando amaneció y llegó el año nuevo, llegó cargado de esperanza. El terror del tirano que había reinado sobre La Habana se había ido, porque el propio tirano había escapado. Cuando la importante ciudad central de Santa Clara cayó ante el ejército rebelde el 31 de diciembre de 1958, Batista desplegó uno más de sus numerosos vicios: la cobardía. Temprano en la mañana del día de Año Nuevo, estaba en un avión con rumbo a República Dominicana, para nunca regresar. Dejó a su paso un país saqueado por la codicia, con unas veinte mil personas asesinadas directamente por su administración.

Pero ahora se había ido. Y La Habana estalló en una alegre celebración, una salvaje fiesta callejera a la cual todos estaban invitados, un desfile de inocentes liberados que no podían contener la alegría de finalmente ver la luz al final del túnel de esta larga lucha. Rebosantes de emoción espontánea, la gente salió de sus casas que temían dejar. Poniendo a sus hijos sobre sus hombros, se lanzaron a las calles, bailando, cantando, haciendo música, abriendo el vino que se había destinado para la víspera de Año Nuevo, y usándolo para brindar por este nuevo día, este nuevo año, y esta nueva esperanza que había amanecido en La Habana.

Las calles estaban llenas de exuberantes cubanos que finalmente eran nuevamente libres para expresar el completo y amplio espectro de sus emociones. Se pusieron carteles en las paredes, las mismas calles temblaron con el canto constante del Himno Nacional y de la marcha del 26 de julio. Celebraron con cualquier sonido que se les ocurriera, desde el claxon de los autos hasta los salvajes disparos al aire. Se besaron, abrazaron a desconocidos, y mantenían en alto la bandera cubana. La Habana era una gran y colorida erupción de una felicidad que trascendía las clases sociales y desdibujaba las líneas raciales. Simplemente todos estaban felices de ser libres. Simplemente todos estaban felices de ser cubanos.

Con su corrupto líder desaparecido, el gobierno capituló casi de inmediato. Santiago de Cuba fue declarada como capital provisional, pero todos sabían que La Habana no sería despojada de su estatus por mucho tiempo. Castro inició una larga marcha triunfal por toda Cuba para reclamar su precio final, la joya de su corona: La Habana. Cada pueblo y aldea, cada ciudad por la que pasaba, florecía en júbilo con su toque. Toda la isla bailaba. Pocas personas entendían real y completamente las ideas y la moral de Castro o lo que él representaba, pero sí sabían una cosa: Batista finalmente se había ido. Y ahora, eso era lo suficientemente bueno para ellos.

El ocho de enero, una semana después de ese salvaje y maravilloso día de Año Nuevo, Castro llegó a La Habana. Llegó encabezando una procesión de soldados de seis millas de largo, pero ahora llevaban las armas en lugar de usarlas, y lucían sonrisas en lugar de muecas de guerra. La Habana seguía de fiesta. Cientos de miles de personas se alinearon en las calles, frenando la procesión con su exuberancia. Castro, riendo y sonriendo, soportó con buena cara a su gente demasiado entusiasta, a pesar de que debía tener hambre de caminar hacia la ciudad en la que había crecido y reclamarla como suya. Mientras continuaba por las calles, los automóviles civiles se unían a la procesión, gritando de alegría, la gente se asomaba por las ventanas, animándolo. El ruido era casi palpable; la emoción, aún más.

El 21 de enero, Castro se dirigió a su pueblo desde La Habana por primera vez. Aún no era oficialmente su líder, sin embargo, tal cantidad de gente se reunió para escucharlo que la ciudad apenas podía contener a la multitud, que se extendía "desde el Malecón hasta el Parque de la Fraternidad". Estimada en un millón y medio de personas, la multitud de cubanos esperaba con anticipación escuchar a su nuevo líder. Castro pronunció un conmovedor discurso acerca de permanecer unidos como nación, acerca de la libertad, acerca de cómo él estaba cambiando la larga historia de opresión y dictadura que por tanto tiempo había plagado a América Latina. Algunos dirían más tarde que todo lo que hizo fue continuarla sin rumbo, pero en ese momento y en ese día, a los cubanos se les dio una probada de libertad. Y les encantó.

El París del Caribe tenía un nuevo rey, y este no sería derrocado tan fácilmente.

Capítulo 12 – La Habana de Castro

El famoso "Guerrillero Heroico", una fotografía de Alberto Korda del amigo cercano y socio de Castro, el Che Guevara. La expresión de Guevara dice mucho sobre el pueblo cubano y este turbulento período; aquí hay miedo y dolor, pero también la decisión y la resiliencia que caracteriza a los rebeldes. La fotografía fue tomada en La Habana en el funeral de los trabajadores portuarios muertos en la explosión de La Coubre

Fidel Castro procedió a convertirse en una de las figuras políticas más conocidas de la historia, pero también en una de las más controvertidas. Continuaría sirviendo como líder de Cuba, primero como primer ministro y luego como presidente, hasta que los problemas de salud lo obligaron a retirarse en 2008. Aunque le tomó varios años admitirlo abiertamente, la administración de Castro era profundamente comunista.

Bajo el liderazgo de Castro, La Habana inmediatamente comenzó a sufrir importantes tiempos. Atrás quedó la corrupta industria de los casinos que había resultado ser tan lucrativa tanto para los mafiosos estadounidenses como para los políticos corruptos. En particular, se sabía que el amigo jefe del crimen de Batista, Meyer Lansky, afirmó que Cuba lo arruinó; con su patrimonio neto desplomándose de varios millones en 1959, a solo $10.000 al momento de su muerte, es un reclamo legítimo.

En cambio, Castro comenzó a invertir en salud y educación, cumpliendo sus promesas de ayudar a los pobres. En un movimiento al estilo de Robin Hood que fue bueno para la gente, pero malo para la economía, comenzó a redistribuir la riqueza y la tierra, confiscando granjas que habían pertenecido a compañías extranjeras, la mayoría estadounidenses, y dividiéndolas en partes más pequeñas de tierra para el cubano común. Cuba se empobreció a pesar de que sus pobres se hicieron más ricos. La clase media que había disfrutado de tales lujos bajo Batista protestó mudándose en masa hacia los Estados Unidos, mientras se construían por toda la isla escuelas, carreteras, guarderías y centros para discapacitado y centros de salud.

Con la Guerra Fría hirviendo por todo el mundo, y las tendencias comunistas de Castro y el insulto de haberles quitado sus granjas de caña de azúcar, los Estados Unidos inmediatamente sospecharon de esta nueva Cuba. Por mucho que JFK condenara su relación con Batista e incluso apoyara algunas de las declaraciones de Castro, EE. UU. estaba buscando una razón para romper los lazos con su pequeño vecino insular. Y en 1960, en un espantoso *déjà vu,* un barco explotaría en el puerto de La Habana, otorgándole a EE. UU. esa razón.

La Coubre fue algo muy pequeño comparado con el *Maine*. Era un simple carguero, revolcándose bajo en la bahía con el peso de setenta y seis toneladas de artefactos explosivos y otras municiones para el gobierno de Castro. Llevaba en el poder poco más de un año; era el cuatro de marzo de 1960, y la peligrosa carga de *La Coubre* estaba siendo descargada. Los Estados Unidos habían hecho todo lo posible para evitar que llegara al puerto de La Habana, mientras Castro irritaba a su gente, convenciéndolos de que las armas eran esenciales para proteger a Cuba de un posible ataque de EE. UU. Los trabajadores portuarios estaban ocupados llevando la pesada carga del barco a la costa cuando, súbita e inesperadamente, estalló. La nube de humo de la explosión se elevó sobre La Habana que aún tenía cicatrices de batalla, señalando nuevamente problemas en el paraíso. Treinta minutos después, mientras los rescatistas trabajaban frenéticamente para salvar a los sobrevivientes, *La Coubre* volvió a explotar. Entre 75 y 100 personas resultaron muertas, y Castro culpó enérgicamente a EE. UU., aunque nunca se encontró ninguna prueba y EE. UU. negó toda responsabilidad. Fue un eco devastador de la explosión del *Maine* que los españoles probablemente no orquestaron, pero que aun así llevó a la guerra total.

Pero una guerra total significaría el fin del mundo con Cuba aliada estrechamente a la Unión Soviética. Los Estados Unidos rompieron relaciones diplomáticas con Cuba, y en 1961 intentaron atacar el país en la invasión de bahía de Cochinos; la invasión fue un total fracaso, y las relaciones entre Cuba y EE. UU. se dejaron hervir a fuego lento mientras el mundo entero pendía de la tensión de la Guerra Fría. En octubre de 1962, la Crisis de los Misiles pondría a Cuba en el mapa como un jugador clave en la Guerra Fría, con sus misiles soviéticos a solo noventa millas de Florida.

Nunca se declaró la guerra abierta entre los Estados Unidos y Cuba. Pero el fuerte embargo de EE. UU. sobre Cuba paralizó lo único que La Habana siempre había podido ofrecer al mundo: comercio. La ciudad ya no era la Llave al Nuevo Mundo. Castro efectivamente había cerrado esa puerta con llave, y jamás la volvería a abrir.

Si bien las condiciones de vida y las oportunidades mejoraron para los más pobres, La Habana se convirtió en un testimonio de los defectos de la administración de Castro. La una vez glamorosa ciudad se deterioraba, y La Habana Vieja, que pronto fue declarada Patrimonio de la Humanidad por la UNESCO, lentamente se caía a pedazos sin dinero para reconstruirla. El colapso de la Unión Soviética en 1991 fue otro devastador golpe para la ciudad, pero a diferencia de muchos de los estados satélites de la Unión Soviética, con la implacable determinación de Castro detrás, Cuba continuó siendo comunista.

En 1989 comenzó el Período Especial de Cuba, que fue una crisis económica que provocó hambrunas, protestas y racionamiento de alimentos. Sin los subsidios de miles de millones de dólares que la Unión Soviética había estado enviando a Cuba, así como los combustibles fósiles que podían ser importados en grandes cantidades de las naciones soviéticas, La Habana sufrió mucho. A veces, la comida escaseaba tanto que las raciones eran solo una quinta parte de la cantidad recomendada establecida por las Naciones Unidas. El transporte se vio muy afectado por el déficit de combustibles fósiles; incluso hoy en día, las bicicletas y los carruajes tirados por caballos son comunes en las calles de La Habana.

El levantamiento del Maleconazo del 5 de agosto de 1994, dio voz al pueblo para expresar su descontento. Sin embargo, estos disturbios no duraron mucho. Era una masa desorganizada, un grito de auxilio incoherente de un país hambriento, y la policía lo dispersó durante el día. Su mayor impacto fue el éxodo que le siguió: 35.000 cubanos desesperados construyeron balsas e intentaron flotar hacia Florida, donde muchos de ellos encontraron asilo siguiendo la política de pies secos, pies mojados. No se podía negar el hecho de que la gente estaba completamente desesperada.

Finalmente, a fines de la década de 1990, Castro escuchó su grito. La Habana se vio obligada a volver al turismo estadounidense para rejuvenecer su economía. Fue una acción que pondría nuevamente en pie a una economía con dificultades, poniendo fin al Período Especial. Atraídos por los placeres una vez prohibidos de esta paradójica ciudad, los turistas llegaron en masa. Para 2008, el turismo estaba generando un récord histórico de $2.7 mil millones. En ese mismo año, Fidel Castro renunciaría a la presidencia. Había sido muchas cosas, un héroe de los pobres, un dictador intransigente y un terror para el mundo libre, pero le había dado a La Habana y a Cuba un precioso regalo que la isla no había podido obtener por cientos de años: estabilidad.

Capítulo 13 – La Habana Hoy

El folleto turístico había descrito este lugar como "glamoroso", pero mientras el avión aterrizaba, el turista pensó para sí mismo que la palabra no le sentaba bien a La Habana. La ciudad yacía en los protectores brazos de la bahía, enfrentando valientemente a un mar del cual era protegida; podía ver la valiente silueta de El Morro en el canal. La ciudad se extendía entre los alrededores verde y zafiro, e incluso desde aquí parecía caótica. No había dos edificios iguales; era como si el turista pudiera ver las capas del tiempo, cada una contando su propia historia de esperanza y lucha, desde la ventana del avión. El turista apretó con fuerza su folleto turístico, arrugando el borde de la página, y sentía cómo aumentaba su emoción. Al igual que un millón de otros estadounidenses en ese mismo año, estaba a punto de visitar esta joya tropical ubicada a solo unas millas de su país de origen. Y estaba a punto de descubrir un lugar que parecería un mundo completamente diferente al suyo.

Con el paisaje de la habana tan variado y complejo, cada parte de la ciudad tiene su propio encanto y fascinación, no es de sorprenderse que tanta gente la recorra cada año. Cada uno de los quince municipios de La Habana tiene sus propias atracciones. La ciudad en general se puede dividir en tres partes principales: La Habana Vieja, los distritos nuevos y luego El Vedado. Los distritos nuevos son casi exclusivamente suburbios.

Sin duda, la zona más opulenta es El Vedado. Rodeado por un lado por el Malecón, que sigue siendo un lugar de reunión popular tanto para lugareños como para turistas, este distrito es tanto para los negocios como para vivir. Altamente modernizado comparado con el resto de La Habana, El Vedado es donde viven y trabajan los cubanos más ricos. Sin embargo, a pesar de su modernismo, este distrito todavía debe rendir homenaje a la poderosa historia de La Habana. El Hotel Nacional, donde alguna vez Lucky Luciano se codeó con la autoridad cubana y repartió ganancias con el presidente, se ubica aquí, así como la Universidad de La Habana, donde tantos revolucionarios y presidentes se han educado, incluido el inimitable Fidel Castro. También incluye la recientemente reabierta embajada de los Estados Unidos, un edificio que resonó de vacío durante la Guerra Fría.

Otro interesante edificio en El Vedado es el monumento a las víctimas del *USS Maine*. Construido en 1925, casi treinta años después de que el *Maine* estallara y matara a cientos de marineros estadounidenses, originalmente el monumento era una creación grandiosa y con columnas, adornada con los bustos de los presidentes William McKinley y Theodore Roosevelt, así como de Leonard Wood, el primer gobernador de Cuba. Alguna vez estuvo coronado por una imponente águila de bronce cuyas alas apuntaban al cielo. Pero solo un año después de su construcción, un huracán dañó el monumento, trizando la gran águila debido a la posición de sus alas. El águila fue removida, y ahora permanece en la embajada estadounidense en La Habana, y fue reemplazada por una con las alas apuntando hacia los lados.

Esta águila se elevó sobre los tejados de La Habana por más de treinta años. Luego, en 1961, durante la Guerra Fría, el sentimiento antiestadounidense convirtió a los habitantes de La Habana en una turba. El 18 de enero, un año y diez días después de que Castro entrara en La Habana como su líder, un grupo de hombres sacó los bustos y el águila del monumento. Actualmente la cabeza del águila también se encuentra en el Museo de Historia de la Ciudad de La Habana. El águila fragmentada es quizás un símbolo de la fracturada relación entre La Habana y los Estados Unidos, y quizás restaurar el águila al lugar que le corresponde en la cima de ese monumento sería un símbolo de real reconciliación, pero aún es demasiado pronto para eso. Por ahora, los pilares gemelos del monumento aún se elevan hacia el cielo, con una inscripción que se traduce como: "A las víctimas del El Maine que fueron sacrificadas por la voracidad imperialista en su afán de apoderarse de la isla de Cuba".

Ricamente urbano, El Vedado consiste principalmente de modernos rascacielos que contienen las sedes cubanas de todo tipo de corporaciones. Es fácil ver por qué los ricos escogerían vivir allí, con sus barrios populares tan cerca de sus trabajos y el Malecón a pocos pasos para relajarse.

Sin embargo, la atracción turística más importante es La Habana vieja: el corazón original de la ciudad, que contiene edificios que se han mantenido durante siglos. Declarada como Patrimonio de la Humanidad por la UNESCO por su rica historia e increíble arquitectura, La Habana Vieja es una curiosa mezcla entre ser el centro de la ciudad en ruinas y el centro de actividades turísticas. En el espacio de aproximadamente cinco mil acres, La Habana Vieja contiene casi todos los estilos arquitectónicos usados en el Nuevo Mundo. Originalmente construido en los estilos barroco y neoclásico, sus calles estrechas están bordeadas por encantadores edificios coloniales, la mayoría de los cuales se están derrumbando por la presión de los años y el abandono. La Habana Vieja también es una de las zonas más pobladas de la ciudad. El arte callejero moderno trepa las paredes de edificios de trescientos años de antigüedad. Las cicatrices del saqueo de La Habana por Jacques de Sores en 1555 aún son evidentes.

Caminar por La Habana Vieja es un paseo por la magnífica historia descrita en las páginas de este libro. También limita con el Malecón en el lado norte, ese hermoso bulevar creado durante la primera ocupación estadounidense de Cuba tras la guerra hispano-estadounidense de 1898. La valiente, pero trágica, silueta de El Morro vigila el canal, su faro elevándose hacia el cielo, y sus paredes medio arruinadas. Las mismas piedras son ricas en las historias de los hombres que vivieron y murieron defendiendo este castillo y esta ciudad. Uno debe pensar en Luis Vicente de Velasco, el heroico hombre que defendió su castillo con un puñado de hombres contra todo el poder aullante de los británicos, paralizado por un liderazgo insuficiente, parado solo entre La Habana y el ejército que se acercaba, y muriendo allí en el frente tras negarse rotundamente a aceptar una rendición que debía haber sabido que era la única salida.

La Punta también habla acerca de la terrible tragedia que se allí se produjo durante las guerras de independencia de Cuba; el asesinato de los inocentes estudiantes universitarios que no habían hecho nada malo, pero que aun así fueron ejecutados por un pelotón de fusilamiento mientras sus compañeros observaban. El muro marcado con balas donde se alinearon para ser asesinados se ha convertido en parte de un monumento que aún permanece allí en la actualidad, al cual grupos de estudiantes aún hacen una especie de peregrinaje en el aniversario de ese terrible evento.

Dos fortalezas más también permanecen en pie en La Habana Vieja. La primera es el Castillo de la Real Fuerza, construido en 1558 para defender La Habana de ataques de personas como Jacques de Sores "pierna de palo" y el infame Sir Francis Drake. La otra es la fortaleza La Cabaña, un triunfo de la arquitectura española construido en los 1700. Como se ha hecho desde que la fortaleza fue construida, un grupo de soldados vestidos con uniformes históricos sale cada noche a las nueve y dispara un tiro. Esto se hacía originalmente para señalar el cierre de las murallas de la ciudad, murallas que desde entonces La Habana ha estallado como un río que inunda sus orillas.

La Catedral de San Cristóbal es un edificio igualmente magnífico, pero fue construido por una razón más amable. Con un guiño al santo patrón de La Habana, San Cristóbal, su nombre hace eco del nombre original de la ciudad: San Cristóbal de La Habana. Esta sobria iglesia barroca también fue construida en el siglo 18. Las campanas de su iglesia están fundidas en una mezcla de oro, plata y bronce, y su fachada se alza con una solemne grandeza que llama la atención. Su exterior promete una belleza inimaginable en el interior, pero en cambio, el sombreado interior de la catedral es tranquilo y sombrío, con poca decoración para desviar la atención del visitante de su abovedado silencio y simple esplendor.

El antiguo Palacio Presidencial también se ubica en La Habana Vieja. Este edificio, el intento de la DRE de asesinar a Batista fracasó tan dramáticamente, y donde el valiente joven José Antonio Echeverría fue asesinado a tiros durante su intento de contribuir a la Revolución Cubana, actualmente alberga el Museo de la Revolución. Contiene el yate Granma en el que el pequeño ejército de Castro navegó hacia Cuba, un ejército que se hizo dramáticamente más pequeño cuando las fuerzas de Batista lo descubrieron, lo destrozaron y lo persiguieron, roto, hacia las montañas. En el museo se encuentran estatuas de héroes revolucionarios, incluido el Che Guevara (quien posteriormente fue ejecutado por la CIA después de provocar problemas en todo el mundo). También incluye el Teléfono Dorado de Batista, un regalo de EE. UU. durante una era de corrupción y lujo para los ricos mientras los pobres lentamente se morían de hambre en sombras olvidadas, y los gángsters se disparaban entre sí en las calles de La Habana.

Sin embargo, una parte del Palacio Presidencial no ha sido cambiada. El salón de baile quedó intacto; un monumento a la autocomplacencia de los presidentes cubanos entre la guerra hispano-estadounidense y la Revolución.

La Habana Vieja aún tiene mucho trabajo por hacer. Muchas de sus calles se mantienen sin restaurar y se están derrumbando en ruinas, no ayudadas por los huracanes y las dificultades generales de la economía cubana. Pero se están haciendo esfuerzos para preservar la historia que hizo de La Habana lo que es hoy. La historia de la capital cubana se volverá a contar una y otra vez, y es de esperar que se renueven sus calles para que sigan contando su historia de triunfo y lucha, valentía y sacrificio.

La Habana continúa siendo el centro político y comercial de Cuba, pero también es el centro cultural de la isla. Los museos y la historia no son su única contribución; también está llena de artes visuales y escénicas de clase mundial. Varios museos de arte visual se encuentran por toda la ciudad, unos cincuenta en total, incluyendo el Museo Nacional de Bellas Artes, el Museo de Artes Decorativas, la Casa de África (un museo de la herencia africana de Cuba), el Museo Ernest Hemingway y el fascinantemente llamado Museo de Danza y Ron.

Un importante centro cultural de La Habana es el Gran Teatro de La Habana. Este magnífico edificio es la sede del Ballet Nacional de Cuba. Fue fundado en 1948, una época turbulenta de la historia de La Habana, por la reconocida prima ballerina assoluta Alicia Alonso. En una época en que la isla se rebelaba, luchaba y sufría bajo dictador tras dictador, la joven Alonso ascendía a un increíble estrellato como bailarina. Esta increíble mujer nació en La Habana en 1920 y debutó en los escenarios a la tierna edad de doce años. Comenzó a perder la vista a los diecinueve años. Se intentaron varias cirugías para rectificar el problema, algunas de las cuales requirieron períodos insoportables de permanecer absolutamente quieta. Para una chica cuya vida era la danza, esto era imposible. Se mantuvo en la cama practicando movimientos solo con sus pies, anticipando su regreso a los escenarios. Su dedicado esposo se sentó a su lado, con su mano en la de ella, usando su propio pequeño lenguaje de señas para enseñarle los movimientos de *Giselle*, un ballet por el que se haría famosa.

Alonso nunca recuperaría su visión periférica. Era posible que no pudiera ver muy bien a sus compañeros o al borde del escenario, pero eso solo requería más práctica y una iluminación cuidadosa. Se convirtió en una bailarina que inspiró al mundo, una bailarina que todo el mundo conocía, excepto que el mundo no sabía que ella no podía ver. Su público tampoco se enteraría. Se convirtió en la prima ballerina assoluta que nunca contemplaría su propia belleza en su totalidad.

El Ballet Nacional de Cuba es el último gran legado de Alonso al mundo. No solo sobrevivió a la revolución, prosperó a través de ella; dado que Alonso era partidaria de la Revolución, Castro donó $200.000 al Ballet Nacional cuando se convirtió en Primer Ministro. El gobierno continúa apoyando al Ballet Nacional, que ha ganado importancia mundial y se ha vuelto famoso por todo el globo.

El ballet es un símbolo de la continua importancia de La Habana en todo el mundo. Con Raúl, el hermano más abierto de mente de Fidel Castro, ahora como presidente de Cuba, la isla finalmente se está estabilizando e incluso está comenzando a prosperar un poco nuevamente. La emigración a EE. UU. continúa cada vez que es posible, pero los encantos de la ciudad son tales que quizás incluso estas personas que huyen de un régimen que sigue siendo controversial deban entender las palabras del nuevo éxito de Camila Cabello "Havana": "Oh, pero mi corazón está en La Habana, mi corazón está en La Habana".

Conclusión

A pesar de que aún no se permite viajar libremente en Cuba, La Habana continúa siendo un centro de arte y cultura, y una atracción turística para muchos estadounidenses que buscan el sabor de otro mundo tan cercano a su propia costa. Con su población ahora en 2,1 millones, La Habana es la ciudad más grande del Caribe, y tiene el tercer ingreso más alto entre todas las ciudades cubanas.

La belleza de La Habana vieja se mezcla con los barrios marginales llenos de pobres por los cuales Fidel Castro luchó tan duro. Fotografías en blanco y negro de estrellas de cine y gángsters de la era de Batista cuelgan en bares que a los cubanos no se les permite poseer después de que la mayoría de los negocios fueran nacionalizados por Castro. La Punta y El Morro siguen vigilando el canal, y la bahía de La Habana sigue siendo un puerto importante. Los turistas estadounidenses acuden en masa a sus muchas atracciones, pero los cubanos escapan hacia EE. UU. tan a menudo como pueden.

Los visitantes de la ciudad describen a La Habana como una experiencia apasionante, desgarradora y contradictoria, desde su encanto colonial hasta sus concurridos hoteles y sus trágicos barrios marginales. Sus calles rinden homenaje a su turbulenta historia, y es probable que el futuro también depare conflicto y cambio, pero una cosa es cierta: la gente de La Habana no será derrotada.

Vea más libros escritos por Captivating History

Sources

Alvarez, Carlos Fernando. *History of Havana: Cuba Libre! Havana's History from Christopher Columbus to Fidel Castro.* Amazon Kindle, 2018.

https://en.wikipedia.org/wiki/History_of_Cuba

http://www.historyguide.org/earlymod/columbus.html

https://www.britannica.com/place/Havana#ref61530

https://www.britannica.com/biography/Diego-Velazquez-de-Cuellar

https://en.wikipedia.org/wiki/Cassava

http://www.sjsu.edu/faculty/watkins/havana.htm

https://www.pirateshipvallarta.com/blog/pirate-ship/varieties-of-pirate-ships

http://www.divesitedirectory.co.uk/dive_site_canary_islands_la_palma_reef_the_crosses_of_malpique.html

https://en.wikipedia.org/wiki/List_of_Atlantic_hurricanes_in_the_18th_century#1750%E2%80%931770

http://www.newenglandhistoricalsociety.com/great-havana-hurricane-1846/

http://www.lahabana.com/content/november-27-1871-the-execution-of-eight-medicine-students/

https://www.britannica.com/topic/Pan-American-conferences

http://cuba1952-1959.blogspot.com/2009/06/1957-presidential-palace-attack.html

http://abolition.e2bn.org/slavery_41.html

http://www.liverpoolmuseums.org.uk/ism/slavery/americas/

http://www.havana-guide.com/cuban-slaves.html

http://bethink.org/tag/2920/

https://www.theguardian.com/world/1959/jan/04/cuba

https://www.independent.ie/lifestyle/castros-rebels-enter-havana-january-1959-26777519.html

http://lanic.utexas.edu/project/castro/db/1959/19590121.html

http://www.lahabana.com/content/january-1-1959-triumph-of-the-cuban-revolution/

https://thirdeyemom.com/2014/04/07/a-look-inside-catedral-de-san-cristobal-in-old-havana/

https://www.independent.co.uk/travel/48-hours-in/havana-cuba-things-to-do-best-restaurants-hotels-bars-city-guide-a8219666.html

http://www.lahabana.com/content/

Lightning Source UK Ltd.
Milton Keynes UK
UKHW022022080822
407030UK00003B/119